ちくま新書

日本人のためのイスラエル入門

大隅 洋
Osumi Yo

1484

日本人のためのイスラエル入門【目次】

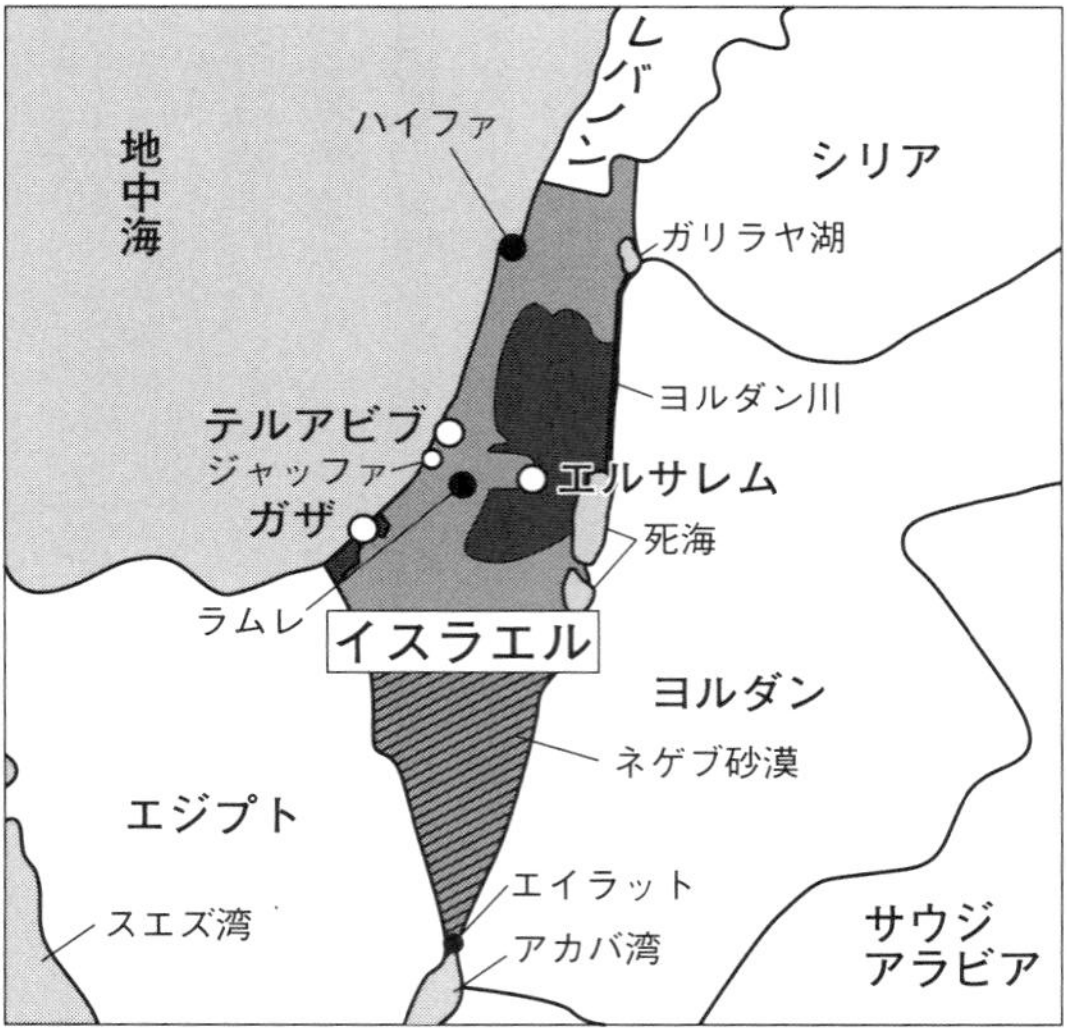

イスラエル周辺地図（■：パレスチナ自治区〔ヨルダン川西岸及びガザ地区〕）

はじめに

†「わが世の春」

ひと昔前は、イスラエルと言えば、（信徒であるか否かは別として）聖書の世界への憧憬《しょうけい》、原始共産主義とも言える「キブツ」への共鳴、あるいは中東紛争のニュースをきっかけに興味を持つ人がほとんどであり、日本での関心は限定的だった。

しかし最近は、イノベーション大国へのビジネス的関心や、スタートアップ文化の魅惑など、興味の対象、そして興味を持つ階層や世代も変化するとともに、裾野も広まってきている。日本からのビジネス関係者の訪問は著しく増えてきており、ときどき私がイスラエルにて勤務していたことに会話のなりゆきで触れると、「一度行ってみたいんですよ」という反応が返ってくることが少なくない。

二〇一七年七月からの約二年間、私はイスラエルのテルアビブにある日本大使館の公使（及び経済担当）として勤務した。そこで見たイスラエルは、「わが世の春」を謳歌していた。混迷するアラブ諸国とは対照的に、この一世紀超にわたりゼロから自分たちで作り上げた経済・社会は、大地に力強く根を張っている。「スタートアップ・ネーション」として頭角を現し、小国ながらも最先端技術の大国としての地位を確立してきている。

建国からわずか七〇年あまりの現代イスラエルの海岸沿いには新しいビルが立ち並び、テルアビブ勤務はさしずめシリコンバレー出張所勤務の感もある。米国の中東からの退潮、イスラム教内での宗派間対立もあり、イスラエルと関係を持つとアラブ諸国から経済ボイコットを受けていた時代とは様変わりした。経済的、そして地域及び国際政治的にもイスラエルは重要な国になってきている。

日本は、令和という新しい時代への希望と、ラグビー・ワールドカップ開催の成功を背に東京オリンピック・パラリンピックへの期待に包まれている。その一方で、少子化、経済・社会の大きな変革期の不安感、地域・国際情勢の成功経験の無効化の危機に遭遇している。また、新型感染症の影響も影を投げかけている。

少子化は国の雰囲気を暗くギスギスさせている。日本経済の屋台骨と言われる自動車産業は一〇〇年に一度の変革の時期を迎え将来が不透明な一方、デジタル化、AI、グローバル化に日本は大きな比較優位を持っていない。また、冷戦後のアメリカ「帝国」の幻想はイラク戦争を境に逆旋回し、全体主義的位相をますますはっきりさせてきている中国が興隆する一方で、今や自由民主主義諸国は守勢に回っているという批評が多くなされている。

このような状況にある日本の視点からイスラエルを見ると、①高い出生率と家庭中心の社会、②伝統を大切にしてそれを中心として回る社会、③「常識」を打破する精神がもたらすイノベーション、④市民社会と軍隊との関係、⑤徹底した安全保障意識と自存自衛の精神など、参考にできることがある国であり社会であると思う。

そして、日本がイスラエルと付き合う必要性はこれまでになく増している。もちろん歴史や背景も違うので、単純に移植できるものはほとんどない。しかし、現代の我々の考えるヒント、行動するヒントとして、イスラエルが提示してくれるものは色々ある。

本稿は、そのような考えから、私がイスラエルを自分の目で見て肌で（違和感を）感じたことからスタートして考え、そして日本に帰ってきてからその考えを反芻《はんすう》し、まとめたものである。

†本書の構成

序章では、本書を通観するテーマとして、現代日本がイスラエルを参考にすべき理由についてもう少し敷衍《ふえん》してみた。

第一章は、イスラエル社会の現在について点描しつつ、イスラエルが実際はどんな国でその市民はどんな社会に生きているか、そして「スタートアップ・ネーション」と呼ばれるまでの道のりについて記した。

第二章では、スタートアップ隆盛の背景にあるイスラエルの強さの秘密について、国防軍の社会での役割と、より深層にあるイスラエル社会の宗教的、文化的伝統についても言及した。ラビを祖父に持ち、代々のユダヤ律法学者の家系に一九世紀に誕生したカール・マルクスの延長線上に、二一世紀のイスラエルのイノベーションとスタートアップ文化がある。

第三章では、そのようなイスラエルの未来とそこに潜むリスク要因について触れている。

第四章は、イスラエルとのビジネス協力の実情と現状について。私が日本イスラエル双方のビジネス関係者と多く交流する中で感じた、日本のビジネスの一般的問題と、日本とイスラエルの文化的ギャップに起因する問題について考察した。

第五章では、イスラエルの政治的存在感の高まり、及び地域内対立の構造が変化している状況を論じた。

第六章では、日本のパレスチナ支援と中東和平への姿勢について述べた上で、イスラエルと米国及び中国との関係に触れつつ、二国間の幅広い協力の展望について言及している。

終章では、イスラエルが日本にとって変革の一つの触媒になり得るのではないかという観点から、イスラエル及びイスラエル人の生き様と日本とを比して論じている。

なお、イスラエルという国は、ユダヤ人のみの単一民族国家ではなく、多数派のユダヤ系と少数派のアラブ系で構成されている。したがって、単純にイスラエル＝ユダヤとは言えないが、ユダヤ教及びユダヤ民族の伝統や文化が社会の運営に色濃く反映されていることも確かである。

一方で、ヨルダン川西岸及びガザ地区にはパレスチナ人（アラブ人）が住んでおり、そこには全く違う現実がある。この本の視点からしてそれらについて多く触れるわけではないが、関連部分ではなるべく複眼的に記述した。

イスラエルのイノベーションを日本に取り込もうとしても、あるいはこの人たちの思考様式について知り、私たち自身の次のステップのために参考にしようとしても、ヤワなアプローチでは難しく、相手とがっぷり四つに組み合うことが必要だと思う。そのためには、専門分野にこもることなく、この国と民族の政治、経済、文化、歴史、社会について総合的・統合的に迫っていく必要がある。本書が、問題意識を持ってそのようなことを志向していこうという人の一助になることができれば幸いである。

なお、本稿は全て私個人の見解であり、外務省のそれではないことをあらかじめお断りしておきたい。

序　章

イスラエルに関心を持つべき五つの理由

公園で遊ぶ子どもたち。イスラエルは高出生率を維持している(©Natalie Cohen)

1　岐路に立つ日本

†革新のきっかけ

母国を誇ることができる民は幸せである。日本人は、そのような思いを持てる幸せな民族である。しかしそれは努力なしには続かず、自分たちについての客観的な認識と能動的な革新の姿勢が必要だと思う。そのためのきっかけを何に求めるか。

「宜《よろ》しく歴代の史書を読むべし」（佐藤一斎《いっさい》『言志四録《げんししろく》』）のとおり歴史からの学びは一つのきっかけとなり得る。そして同時代に生きる他国の文化や民族の生き方を参照するというのもまた、そのきっかけになると思う。もちろん、生きてきた背景や取り巻く環境が違う中から生起してきたものを盲目的に日本に移植するというのは不可能であり、また、すべきことでもない。しかし、批判精神と自律的態度をもって参考にすれば、おのずから得られるものはあろう。

技術、経済、政治の各面で大きな変革期に入っている中で現代日本が岐路に立たされているのは、同時代の日本人の多くが感じているところだと思う。日本の歴史において、不連続の発展は、多くが外からの刺激によりもたらされた。今までいくつかの国に住んできたが、ユダヤという古い民族、イスラエルという新興国家の作り上げてきたものは、現代日本及び日本人にとって大いに参考になるというのが私の実感である。そこで序章ではその五つの側面を取り上げ、この本のスタートとすることにしたい。

2 イスラエルに関心を持つべき五つの理由

①高い出生率と家庭中心の社会

イスラエルにいると、子供の姿をよく見かける。街に出てエレベーターに乗る時などに家族連れと出くわすと、だいたい三人は子供がいる。実際、イスラエルの出生率（合計特殊出生率）は世界銀行統計（二〇一七年）によれば三・一一であり、「先進国クラブ」と称されるOECD（経済協力開発機構）の中で最高である。韓国（一・〇五）やシンガポール（一・一六）のような少子化傾向が顕著なところだけでなく、バングラデシュ（二・〇六）

やインド（二・二四）よりも高い。一九四八年に独立した時は約八〇〇万人だった人口は現在九〇〇〇万人を超え、二〇六五年には二〇〇〇万人を超えるとイスラエルでは予測されている。

イスラエル社会は子供天国である。みな子供には寛容であり、子供が大声を上げても文句を言う人はない。子供が入れないレストランも基本的に存在しない。社会は若やいでおり、明るく楽観的な雰囲気がある。

そして、この社会では家族がその中心にいる。ユダヤ教の伝統にしたがって安息日（金曜日日没から土曜日日没まで）の金曜日の夜には祖父母から孫の世代まで、親戚と食事を共にする習慣が現在も生きている。親戚だけでなく恋人や友人なども集《つど》う。これは、キリスト教国での日曜日より徹底しており、店やレストランが閉まるだけでなく、鉄道やバスなどの公共交通機関も基本的には動かなくなる。ヘブライ語聖典（旧約聖書）あるいはタルムード（口伝的解答を集大成した宗教的典範）などから一節が朗読され、皆でお祈りをしてから食事をする。

なお、ユダヤ教は「新約」あるいは「新約聖書」を認めず、自分たちのヘブライ語聖典を「旧約聖書」とは言わないが、右聖典のうち、特にトーラーあるいは律法と言われる創世記、出エジプト記などのいわゆる「モーセ五書」が重要であり、その中には六一三の遵守されるべき戒律がある。一方、「タルムード」は、トーラーの法規的解釈や物語伝承が口頭で伝えられてきたものを集大成したミシュナ、およびミシュナについての議論を集大成したゲバラの二つの部分により成り立ち、六世紀までに編集されている。

これに対し、日本の社会は少子高齢化の真っ最中である。厚生労働省の統計によれば、二〇一八年の日本の出生率(合計特殊出生率)は一・四二で、人口が二〇〇七年に減少に転じて以来この方、その継続的減少は日本社会にボディブローのように「効いて」きている。小学校は統廃合を繰り返し、企業は海外市場に重点を移さざるを得ない。

訪日したイスラエルの安全保障専門家のダン・シュエフタン・ハイファ大学国家安全保障研究所所長は、日本からイスラエルに戻ってきて開口一番、「日本の安全保障の最大の脅威は中国ではなく人口減少だ。これは移民では解決できない問題で、少子化問題を乗り越えるための国民運動を起こすべきなのに、社会に危機感が見られない」と喝破《かっぱ》していた。

また米国の大戦略家エドワード・ルトワック氏は、若かりし頃イスラエル軍に従軍し、奥さんともイスラエル時代に出会っているが、彼も近著で、日本はパチンコに金を使っている場合ではなく子供につぎ込むべきであり、「国家戦略として「若返り」を目指すべきである」と述べている。

もちろん、二〇五〇年に人口一億人を維持するという数値目標や、待機児童対策、働き方改革、幼児教育・高校教育の無償化などの策は取られていると説明した。ただし、慧眼《けいがん》の外国人の眼にはそれはあくまで政策（集）に過ぎず、危機感に裏打ちされた大きな社会運動が背景にはなっていないと映ったのだろう。ちなみにイスラエルでは不妊治療は無料である。

日本に帰ってくると、日本社会は子供中心に回っていないと感じる。公園に行くとサッカーや野球は多くの場所で禁止されている。公園では管理責任が厳しく問われるので「ボール競技は禁止」ということでリスクを回避しようとするためだろうが、その結果、子供たちは公園に集まって各々がゲームをしている。

また、公共の場で子供が声を上げていたりすると白眼視される雰囲気がある。子供連れを歓迎しないレストランも少なくない。子供は元来騒がしいものだが、地下鉄はシーンとしており、子供が少しでも騒ぐと居心地が悪くなる。一度子供と地下鉄に乗った時に、子供が座った席の隣にマスクとメガネ、帽子で顔を被った中年男性がいて、子供が少しでも声を上げる度に威嚇するかのようにいちいち見るので、怖い思いをした。

また、日本は家庭中心の社会というわけでもない。私が子供だった頃、日本では三が日だけは店が全て閉まり、静かな正月だったように思う。しかし、今はバーゲンから何から騒々しい。便利で大いに結構と言いたいが、その裏には新年を共に祝う家族との団らんを失くしている家庭が少なからずある。経済的利益が最優先であって、コンビニの営業時間短縮の議論ももっぱら経済的理由からのものであり、家庭や社会が弱体化していくのは良いことなのだろうかという観点からの議論はあまりないように思う。それでいて一人当たりGDPはイスラエルに抜かれている。

②伝統を中心として回る社会

イスラエルで生活すると、宗教（ユダヤ教）に基づいた祝祭日がカレンダーを支配しているところを目の当たりにする。毎週、金曜日日没から土曜日日没の安息日には、公共交通機関は基本的にストップするので、鉄道駅やバス停は金曜日の夕方には、便がなくなる前に家にたどりつこうとする人たちでごった返す。

それに加え、一年の暦《こよみ》の中で節々の祭りの際には親戚家族が集まって盛大に祝い、食事を共に過ごす回数が多い。中でも過越祭《すぎこしのまつり》、シャブオット、仮庵祭《かりいおのまつり》の三大祭りはいずれも、モーセに率いられたユダヤ民族のエジプト脱出という「歴史的事件」にちなんだものであり、食事の際には「出エジプト」の関連部分が聖書から読誦《どくしょう》される。

過越祭は、神がエジプトに対して「初子《ういご》をすべて殺す」という災いをもたらした際に、ユダヤの民の家の戸口に印をつけたことで神の怒りが「過ぎ越し」、その後集団でエジプトを脱出することができたことを祝う祭りである。エジプト王の追跡を受けた民はパンに酵母を混ぜて脹《ふく》らませる時間がなかったということに因《ちな》み、この時期、店頭からはパンを含む酵母を用いた製品（ビールも含む）が一斉に消える。

シャブオットとは、「出エジプト」から五〇日目に神がシナイ山でモーセを通して「十戒」（律法）をユダヤ人に与えたことを祝う祭りであり、食事は肉を使わず乳製品が出る。

仮庵祭は、エジプト脱出時にユダヤの民が荒野で天幕《てんまく》に住んだことを記念する祭りであり、家の庭やベランダ、屋上に仮の庵《いおり》を立てて貧しい生活を再現する。

また、ユダヤ教では宗教的意義のある様々な祭日があるが、最も神聖な日がヨム・キプール（贖罪《しょくざい》の日）であり、その日には一日断食が行われ、労働などが一切禁じられる。車の運転も禁止され、ベン＝グリオン国際空港も二四時間閉鎖されるという徹底ぶりである（車が走らない高速道路は子供たちの自転車で溢れる日となる）。贖罪の日が近づくと、一年を振り返って自分の言動を反省して友人に詫びの電話をする人もいるという。

このように、宗教と歴史を背景にした伝統が社会に息づいており、その伝統を中心に社会が回っている。またアラブ系イスラム教徒はラマダン（断食月）を実践し、キリスト教徒はクリスマスを祝うなど、イスラエル社会ではそれぞれの宗派社会ごとに規律がある。

現代日本にも様々なバックグラウンドの人がいる。しかし近代の日本の歴史的経緯、現行憲法下の諸規定もあり、歴史への濃密な振り返りはない。社会を見れば、旧盆や春秋の彼岸でさえ、家族が集まり、伝統に則ってお墓参りをする習慣は段々と薄れてきている。日本神話に至っては、スサノオノミコトとヤマトタケルとは何者かと言われても答えられない人も少なくない。そんな日本に対し、「ニホンジンは歴史と伝統に対しもう少し敬意を払ったらどうですか」と、イスラエルの日本研究の第一人者であるヘブライ大学名誉教授ベン＝アミー・シロニー先生（外国人叙勲受章者）は言うが、個人的にはそのとおりだと思う。

しかし一方で、歴史や伝統というのは自生している面もある。この国では総理大臣が正月明けに伊勢に参拝するのが慣例となっているし、縁結びのパワースポットである各地の神社を訪れることが若者の間でブームとなっている。「令和の時代が佳《よ》きものでありまように」というのは、日本人の共通の願いである。即位礼に登場した三種の神器については、由来を繙《ひもと》けば、天孫降臨《てんそんこうりん》、出雲《いずも》の国造り、ヤマトタケルの遠征などの神話に行きついていく。

③「常識」を打破する精神

「フツパ」というヘブライ語を持ち出せば、その場にいるイスラエル人から失笑とも苦笑ともいわれぬ笑いが起きる。イスラエル人（ユダヤ人）の気質をよく示す単語だという。だいたいにおいて「傲岸不遜《ごうがんふそん》な態度」という意味だが、その言葉には日本語のようなネガティブなイメージはない。常識をものともせず、人を人と思わず、権威に食ってかかるこの態度がイスラエルのイノベーションの背景にある。

一方日本は、イノベーションの時代に遅れをとっていると言わないが先頭走者ではない。イスラエルに来ている日本企業の話を聞いていると、彼らはイノベーションの成果とその素《もと》を発見しに来ている。オープン・イノベーションの時代に、今までのような、企業内に技術者を雇い、年功序列の安定した環境のもとで長期的視野で人材と技術を育て上げ、そこで生まれた成果を企業の商品開発に生かしていくという日本のモデルが成り立たなくなっているようである。

日本を代表するイノベーションを生んできた企業に派遣されイスラエルに駐在している日本人ビジネスマンに一度、「イスラエル人は本当に凄いのですか、どこが凄いのですか」と聞いたことがある。答えは「凄いですね、こんな考え方するのかと感嘆するような思考をしてくるので真似できない」というものであった。

ちなみにイスラエルはモダン・ダンスが世界的に有名なのだが、イスラエルで一〇年近く踊っている日本人女性ダンサーにとある機会に同じ問いをぶつけてみた。すると、「既成の概念にとらわれずに踊るところが凄いです。こんな角度から手が出てくるか、という感じですね」と笑いながら答えてくれた。

④市民社会と軍隊との関係

イスラエルは、アラブ系市民と超正統派を除き国民皆兵《かいへい》であり、兵役は男性で三年弱、女性で二年弱である。街中にはカーキ色の軍服に身を包んだ若者がいつも歩いている。ライフルを持っている勤務中の兵士もいて、よく見ると屈託のない表情をしている。もう二〇年以上前に、私が初めてイスラエルに行った時、この光景はあまりに異様に映った。平和と戦争は対極であるべきものなのに、ここでは平和と戦争が同居していることに、落ち着かない気持ちにさせられた。

しかし、私のそのような感覚も時代と環境の産物であり、普遍的なものではないのだろう。藤崎一郎《ふじさきいちろう》元駐米大使（中曽根康弘平和研究所理事長）の「「大常識」で思う明治一五〇年」というエッセイに、「もし明治維新の年に生まれたら、二六歳で日清戦争、三六歳で日露戦争、五〇歳で第一次世界大戦シベリア出兵、六三歳で満州事変、六九歳で日華事変、七三歳で太平洋戦争――生涯、戦争の連続だった」という趣旨のくだりがある。

確かに明治からの最初の七五年を生きていたら、イスラエルの現在にあまり違和感がなかったのかもしれない。明治維新までの二五〇年は天下泰平《てんかたいへい》だったものの、大坂夏の陣までの約一五〇年は争乱の時代だった。中国も、清《しん》朝の安寧は二〇〇年ほどしか続かず、その後はアヘン戦争以来屈辱の一〇〇年があり、中華人民共和国建国後も騒擾《そうじょう》が続発して、平和が続いているのは最近四〇年ほどに過ぎない。欧州も近代史の中で冷戦になるまでいつ戦争がない時代があっただろうか。

古代ローマにおいて、男性市民は兵役を担い、時には戦争に従事し、市民社会を守っていた。古代ローマ帝国落日の最大の原因の一つは、ローマ人自身が犠牲を払わなくなり、傭兵に国の防衛を依存したからである。帝国末期にかけては傭兵出身の皇帝さえ出現する。市民社会は誰かが守る必要があり、イスラエルは、その置かれた地域状況から、男女皆兵によりその市民社会を守っているわけである。西部邁《にしべすすむ》は、「今の日本人は、シチズンが「国家から保護してもらうことの引き換えで国家への義務を引き受ける人々」を意味することをすら忘れてしまっている」と批判する。

一方で軍は暴力機構であるから、それが力を持ち過ぎると法の支配ではなく力の支配する世界となってしまい、民主的な意思決定システムをも飲み込んでしまうリスクがある。日本の近代史は、「軍人が跋扈《ばっこ》した時期」であり、「軍部に逆らうことにも勇気が必要だった」時代であった。フランシス・フクヤマが、コスタリカの民主主義が中米で「例外的」に成功した理由の一つとして、暴力機構である軍隊を廃止してしまったことを挙げているのは興味深い。ことほど微妙なかじ取りが必要な中で、イスラエルは強力な軍隊としっかりした市民社会を両立させているように見える。

†⑤徹底した安全保障意識と自存自衛の精神

ムハンマドがアラビア半島に出現してこの方、十字軍の時代のキリスト教勢力が散発的に勢力を盛り返した時期をのぞき、ユーラシアとアフリカの結節点にあるこの地はだいたいにおいて、アラビア語とイスラム教が圧倒する土地になった。その中で、二〇〇〇年間存在しなかったユダヤ人主導の国家として誕生したイスラエルは、四方を敵に囲まれていたため、徹底した安全保障意識を持たざるを得なかった。

イスラエル対アラブという言葉が表すように、今でこそイスラエルの敵は、その周りを取り囲むアラブ諸国と思われている。そして聖地エルサレムもあり、イスラエルの大宗《たいそう》を占めるユダヤ教とイスラム教の宗教的な対立も強調される。しかしむしろ、反ユダヤ主義の震源地は歴史的には欧州キリスト教世界であり、ユダヤ教徒たちはキリスト教徒から、主イエスを殺した原罪を背負う民族として、常に懐疑と嫌悪の対象とされてきたのである。

かたや中東は民族が複雑に入り組んで存在しており、なおかつイスラエルにおけるイスラム教ドゥルーズ派のように、イスラエル国家に参画して軍役にも服する集団もいて、単純明快な図はない。また、イスラム教自体がユダヤ教徒を、キリスト教徒やゾロアスター教徒とともに「啓典《けいてん》の民《たみ》」として社会的存在として認めており、反ユダヤ主義の根はそれほど深くないといえよう。

いずれにせよ、地獄のホロコースト時代に、世界はユダヤ民族に手を差し伸べてはくれなかった。次も同じことが起こり得るのだと思っている彼らからすれば、自分たちを守るのは最後は結局自分たちしかいないと思っている。

かたや日本は、ユーラシア大陸の東の涯《はて》にある島国であり、そこから先は広大な太平洋である。古来、国の政体が根本から覆され国民が隷従に陥り異国へ捕囚されるということは歴史上なかった。

もちろん、古代の白村江《はくそんこう》の戦いの後に防人《さきもり》として全国から若い男子が西国に徴発されたのは、万葉集に残る歌、たとえば、「父母《ちちはは》が　頭《かしら》かき撫《な》で　幸《さく》あれていひし言葉《けとば》ぜ忘れかねつる」（丈　部稲麻呂《はせつかべのいなまろ》・巻二〇）、あるいは「防人《さきもり》に　行《ゆ》くは誰《た》が背《せ》と問ふ人を　見るがともしさ物思《ものも》ひもせず」（作者不詳・巻二〇）などを通じて知られている。また、山口県の長府《ちょうふ》にある功山寺《こうざんじ》は、高杉晋作《たかすぎしんさく》の挙兵の地として幕末の舞台になるが、一度訪問した時に聞いた話では、ここは一五世紀に防人の宿営地として使われていたという。

しかし、それらは日本史の中では間欠泉《かんけつせん》のようなエピソードに過ぎない。それに対して古来不変なのは、ユーラシア大陸との間を隔てる海、米大陸との間に無限がごとく広がる太平洋という天然の防護壁の存在である。幕末の志士たちの国防への危機感は開国から富国強兵へという大きな奔流を生み出したし、その後、日本は、「自存自衛《じそんじえい》」を掲げて太平洋戦争（大東亜戦争）を戦った。しかし、戦後は日米安保条約の下での繁栄を謳歌し、「日本人は安全と水は無料で手に入ると思いこんでいる」と揶揄《やゆ》されるようになった。そうした安全保障への意識はイスラエルと対極にある。ちなみにその発言（当時の在日本イスラエル大使館書記官の発言）が引用されているのは、イザヤ・ベンダサン（山本七平）著『日本人とユダヤ人』（一九七一年）においてである。

以上五点、特筆すべき点をまず抽出してみた。次章以降ではイスラエルの今、その強さ、リスク、国際政治における存在感と位置付け、二国間協力の地平線などについて、さらに触れていきたい。そしてイスラエルとイスラエル人の姿を浮き彫りにすることにより、イスラエルという鏡を通じて日本及び日本人を見つめなおし、私たちが生き延び、そして次世代にこの社会を引き継いでいくための参考となる点をさらに深掘りしていきたい。

第 一 章

イノベーションの起きる国

――躍進の起源とそのわけ

上:テルアビブのリゾート地と高層ビル群(著者撮影)、下:ユダヤ暦の新年を前に祈りを捧げるユダヤ教徒たち(©aflo)

1　イスラエルの現在

†海に開かれた世俗の町テルアビブ

大使館のあるテルアビブはヘブライ語で「春の丘」を意味する。地中海沿岸の街という趣きである。高台の教会が美しい隣町のジャッファが古代から名が残る海港地で、中世においては、船でたどり着いた欧州のキリスト教徒がエルサレムへ巡礼する街道の出発地だったのに対し、テルアビブはユダヤ人がジャッファの北方の砂丘に入植して二〇世紀初頭に建設した歴史の浅い近代都市である。

経済成長を続けてきたイスラエルの中心的商業都市であり、北一五キロメートルのヘルツェリアにかけてハイテクのスタートアップ企業が多く居を構え、「中東のシリコンバレー」としてのダイナミズムを感じさせる。高層ビルが林立し、空き地は次々と造成されている。

文明は古いが国は若い。街づくりにもほとんど歴史が介在しないので、カリフォルニアのたとえばサン・ディエゴに似ているという印象を持つ訪問者も多い。そして海岸にはビーチバレーのコートやバーが立ち並び、その横を発動機付自転車やキック・ボードが走っている。

人口約九〇〇万人の国にサーファーが七万人もいるということで、夏には休暇中の小中学生を対象とするサーフィン教室が盛んで、少し風が強くなると今度はどこからか多くのカイト・サーファーが現れる。ヘルツェリアにあった私の家の大家さんは、イスラエルで最初にサーフボードに乗った人物だ。今は立派にお腹が出ているおじいさんだが、携帯の待ち受けに、上半身が筋肉だけ（？）だった若いころの自分の写真を使っている。ライフ・ガードとして生涯過ごし、今、彼のサーフ・ショップを経営するグレイヘアの息子は、サーフィンのイスラエル・チャンピオンに二度輝いたという。

世俗的なこの街では、「プライド」（LGBT及びその支援者による年に一度の大きな街頭デモンストレーション）の日ともなれば、二〇万人以上が街を練り歩く。中東で唯一同性愛が合法化されている国である（ただし、結婚はユダヤ教超正統派が取り仕切り、国内では同性婚はできない。海外で同性婚が成立した場合はイスラエル国内でも有効とされる）。

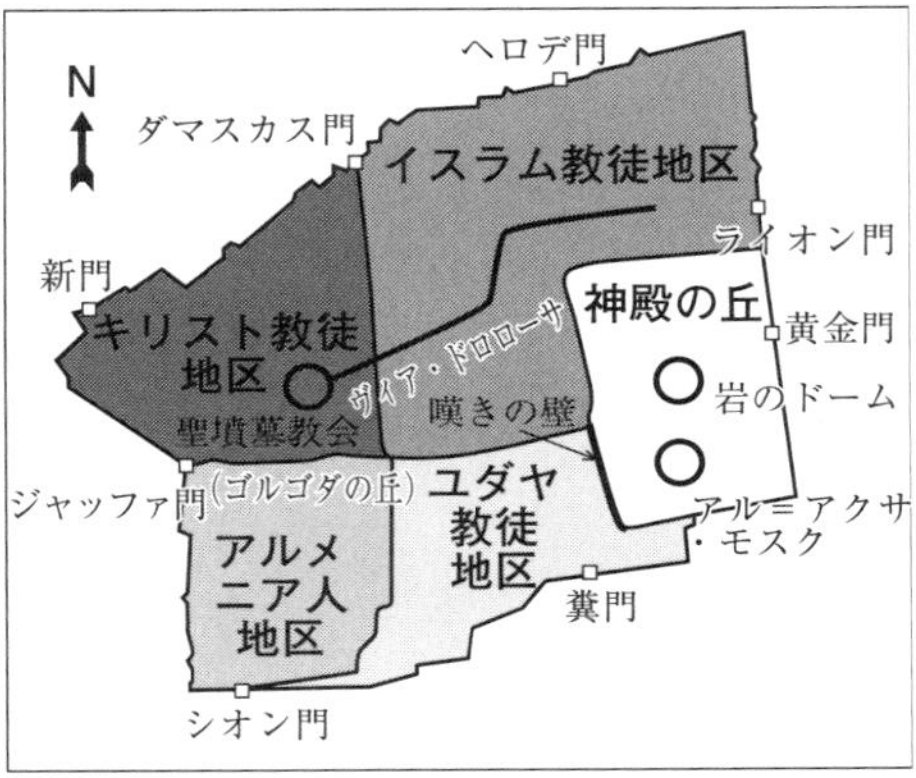

エルサレム旧市街

†分水嶺の頂きに立つ宗教都市エルサレム

標高約八〇〇メートルのところにあるエルサレムには、テルアビブから東に向かってくねる山道を登る。この仰ぎ見るような道を登り切ったところを、古来、天上に一番近い「聖地」と思うことは自然だったかもしれない。

エルサレムは分水嶺の頂きに立ち、そこからさらに東の死海への道は、奈落の底に落ちていくようにひたすら降下する道だ。死海の海抜はマイナス四〇〇メートルを超えるので、一二〇〇メートル下まで一気に駆け抜ける。両側はパレスチナ人の自治区となり、荒涼たる砂漠の風景が広がっている。そして、死海は東アフリカを貫く大地《だいち》溝帯《こうたい》の始まりである。死海から南へ下がると、イスラエル唯一の紅海の港町エイラットがある。猫の額のように狭い海岸線は紅海の最深部。そして、そこから始まる青い海の

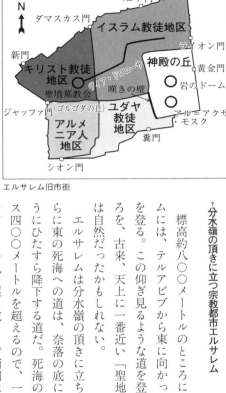

水深は、約七〇メートルのペルシャ湾と対照的に一五〇〇メートルに達する。海の中の世界では、切り通しのようにサンゴの壁が水中奥深くに向かって無限に広がっている。

エルサレムは、黒い装束の超正統派の人たち、そしてアラブ系の多い街である。建国の時からイスラエルが支配してきた西エルサレムでは超正統派が増えてきており、近代的な装いはあるものの、ユダヤ教が社会生活の規律となっている。金曜日日没から土曜日日没までの安息日にも賑やかなテルアビブとは違い、エルサレムでは観光地を除いて店はほとんど閉まり、公共機関も動かない。景観規制によって石造りの建物が整然と並ぶ区画も多い。世俗的な人たちにとっては息苦しく、彼らが流出していくのでますます人口が超正統派の人たち及びアラブ系住民に「純化」していく傾向にある。「プライド」の行進も開催されているが、数年前に、LGBTに反対する超正統派の人物がデモに突っ込む死傷事件も起きている。

超正統派ユダヤ教徒たち

旧市街を含む東エルサレムは、英国の委任統治が終了してから、第一次中東戦争でアラブ側に残ったため、ヨルダンの支配下にあった。第三次中東戦争までヨルダンが支配していたアラブ系の町である。一九六七年にイスラエルがその支配下に収め、「統一された永遠の首都エルサレム」として統治してきたが、今でもアラブ人が多い。

東エルサレムにはパレスチナ自治政府の権力は実質的には及んでいないため、東エルサレムのアラブ系住民は、イスラエル人ではなくパレスチナ自治政府の管轄下にもない、「東エルサレム住民」というイスラエルが発行する特別な身分証を持つ宙ぶらりんの存在である。イスラエル政府は、統一エルサレムにおけるユダヤ人の多数を確保するために、エルサレムを囲むように入植地を作ってそこをエルサレム市に組み込む一方、アラブ人地域を統一エルサレムの市外としようとしている。

†三宗教の聖地が折り重なる旧市街

城壁に囲まれた旧市街を観て、ものを思わない者はいない。

梅棹忠夫《うめさおただお》がかつて、ユダヤ教、イスラム教、キリスト教の聖地が重なるエルサレムを、ヒンドゥー教の聖なるガンジス川のほとりの町ヴァーラナーシーや、仏教の初転法輪《しょてんぼうりん》の地サールナートがある地点と比較していた。

確かにヴァーラナーシーで日の出とともにガンジス川に入り沐浴《もくよく》するヒンドゥー教徒の姿には心を打たれる。また、釈迦《しゃか》が悟りを開いた後、鹿が多く住む林の中で初めて教えを説いた故地のサールナートに立つと、ここに奈良の大寺院群の始源があるのかと深い感慨を覚える。

十字架を背負いヴィア・ドロローサを歩く巡礼者たち

だがそれは多神教の中での交錯であり、ぶつかり合うというものではない。それに対し、エルサレムは、「他と並びたたぬ」一神教同士がひしめき合う地であり、世界の半数以上の人たちの宗教的熱情が投影される地でもある。一神教的世界に精神的なつながりのない私はその情念に圧倒される。
キリスト教徒地区では、世界中から来た様々な人種の巡礼者たちが集団で聖歌を歌いながら、イエス・キリストが死刑宣告後に十字架を担ぎながら歩かされた道（ヴィア・ドロローサ）を歩く。この道の終着地にはイエスが十字架に架けられた跡地に聖墳墓教会《せいふんぼきょうかい》（キリスト教をローマ帝国の国教としたコンスタンティヌス帝の母ヘレナがこの地を紀元三二六年に訪れ、その意を受けて建立された）が建ち、その構内にはイエスが十字架から降ろされた後、聖骸《せいがい》に香油《こうゆ》を塗られたとされる赤大理石の板がある。彼らはこの板の前で跪《ひざまず》き、顔をうずめたまま立ち上がらない。多くの人にとって、一生に一度の「聖にして聖なる地」との接吻《せっぷん》である。

キリスト教地区に隣接する旧市街の北東部にイスラム教地区がある。水煙草店が立ち並ぶ猥雑な中東のスーク（アラビア語で「市場」の意）という趣きで、ケバブを焼く臭いが立ちこめる。このイスラム教徒地区から少し上ると神殿の丘に辿りつく。境内に岩のドーム（紀元七世紀末に建立）やアル＝アクサ・モスク（紀元八世紀初頭に建立）があるイスラム教徒の聖地である。

ここからムハンマド（紀元五七〇年頃〜六三二年）がある夜に昇天してアラーの神の御前に至り、その後に地上に戻ってきたといわれ、イスラム教徒は、メッカのカーバ神殿の方向に礼拝するようになる前はこの地に向かって礼拝したという。神殿の丘は、第一次中東

神殿の丘の上にそびえ立つ岩のドームと嘆きの壁

戦争（一九四八年）から第三次中東戦争（一九六七年）まで東エルサレムを統治していたヨルダンが引き続き管理している。ムハンマドの血統を引く家系であるハーシム家の出であるヨルダンのフセイン国王にとって、岩のドームとアル＝アクサ・モスクの管理権の政治的、宗教的な意味は計り知れないものがある。ユダヤ教徒、キリスト教徒は神殿の丘で宗教的な儀式を行うことは禁止されている。

そして、この神殿の丘こそが、ユダヤ人にとっての、「聖にして聖なる地」であり、アブラハムが息子イサクを神に捧げようとしたモリヤ山、ダビデ王の息子ソロモン王が第一神殿を建設した地、バビロン捕囚から帰還したユダヤ人により第二神殿（紀元七〇年にローマ帝国が破壊）が建設された地である。

ダビデ王はドーム内の岩の上に、モーセがシナイ山で神から受け取ったという十戒の書かれた石を安置したとされている。神殿の丘は壁に囲われ、その西部にはユダヤ教徒地区が広がる。神殿の丘の南西部の壁が「嘆きの壁」であり、第二神殿の城壁の一部だったと言われている。

神殿が崩壊して以来二〇〇〇年この方、ユダヤ人がここで自由に祈りを捧げることはなかった。ヨルダンの支配下では立ち入りを禁じられていたため、一九六七年に第三次中東戦争でイスラエル軍が東エルサレムに入城して嘆きの壁を「解放」したことは奇跡の発現であり、世界中のユダヤ人が歓喜にむせんだ。

ニューヨーク・タイムズ紙の大御所トーマス・フリードマン記者も、小さい頃にそのニュースを聞いたときの興奮を著書に書き綴っていた。今日この地は、イスラエルの中高生が遠足で詰めかける。宗教的行事の日にはユダヤ人で埋め尽くされ、世界中の観光客が訪れる地となっている。

近年では、中東和平への期待が最も高まった二〇〇〇年のビル・クリントン大統領の仲介によるキャンプ・デービッドでの交渉が頓挫した直後に、当時野党党首だったアリエル・シャロン氏が神殿の丘に登り示威行為をしたことに対して暴動が起こり、継続的な武力抵抗運動（第二次インティファーダ）につながっている。

私は、日本からビジネスに来た人には必ずエルサレム訪問を推奨した。ビジネスの予定がいっぱいで時間がないからエルサレムには行けませんという人にも、朝四時に起きて無理をしてでも行った方がいいと勧めた。人間は金のみにより動くのではない。感情は人間の行動で重要な部分を占めている。そして、その感情の少なくない部分を宗教に依っている。宗教にあまり関心がないと装う人でも、その背景にある文化は「宗教的」である。

自分は「無宗教」だと漠然と考えている人が多い日本人でさえ、七五三には子供を神社に連れて行き、結婚式は大安の日に設定したくなるのである。世界の半分以上の人たちにとって、感情の迸《ほとばし》る源がここエルサレムであり、レオナルド・ダ・ヴィンチの「最後の晩餐」、ミケランジェロの「システィーナ礼拝堂の大壁画」など西洋美術の最高傑作もここからインスピレーションを受けた。この町を体感せずには、この国の理解は到底おぼつかないし、世界の（多くの）人々と真の会話は成立しないと思う。

✝乾いた風景と美味しい野菜

イスラエルの国土は四国より少し大きいくらいのサイズで、北のガリラヤ湖から南の紅《こう》海《かい》（アカバ湾）までは距離にして東京〜大阪間と同じくらいである。ガリラヤ湖（ティベリアス湖）から北にはシリア、レバノンとの国境地帯があり、山峰が広がり降雪もする。ゴラン高原に入るところにはスキー場もある。そこからの雪融け水がガリラヤ湖に注ぎ込み、湿地帯もあり、水鳥を見に行くことができる。

そして湖水はヨルダン川を南下して死海に注ぎ込む。しかし、国土の大半は乾いた土地だ。降水量は日本の平均降水量の三分の一で、四月から一一月頃までは雨が降らず、土地はからからに干上がる。紅海に向かう南部にはネゲブ砂漠が広がる。春先には遠くアフリカのサハラ砂漠からの砂嵐もやってくる。

テルアビブからエルサレムまでは、途中空の玄関であるベン゠グリオン空港を経由して国道一号線で七〇キロメートルほど。車窓からは林と農地が広がる。独立以来、営々七〇年あまりかけて育て上げたのだろう。整然とした林もよく目を凝らせば点滴灌漑《てんてきかんがい》用のパイプラインが敷き詰められているのが見える。人間を大らかに包み込むのではなく、あくまでも人間の意志の反映されたこの自然に、私は息苦しいほどのユダヤ民族の執念を感じる。

国土の大半が乾燥・半乾燥であり、大きな川が一つもないというのは大いなる逆境だった。これを乗り越えるために海水の蒸留技術を発達させてガリラヤ湖水と混ぜ合わせることにより飲料水などを確保している。水資源の八五％以上を再利用しているが、これは世界で断トツの数字であるという。そして、点滴灌漑技術を発展させ、水の使用量を増やさずに農業の収穫量を増やしている。

都市農業的な果物、野菜、乳製品、家禽《かきん》・鶏卵《けいらん》の食料自給率は九五％以上という驚異的な数字を叩き出している（重量ベース。ただし牛肉は三二％、魚は一三％、小麦は八％）。港の名を冠したジャッファ・オレンジは遠く日本のマーケットにまで輸出されている。日本からの訪問者が来ると、朝ごはんが美味しいという話をよく聞いた。それもそのとおり、地産地消《ちさんちしょう》の野菜などを食べているからだろう。

点滴灌漑技術は、今やインド、アフリカ、中国などで垂涎《すいぜん》の的となっており、協力関係拡大のツールにもなっている。今の時代の農業は、ドローンでオレンジ畑を空中から撮影し、そのデータを解析して判明した果樹の成長度合いや病気への感染度によって、水の供給を増減させるというところまで進んでいる。

一号線の北の、国の中央部にあたるところには、パレスチナ人が自治する肺のような形をしたいわゆる（ヨルダン川）西岸地区がある。西から東に幾重もの山や小高い丘が海抜を上げつつ連なって分水嶺まで続き、それを越えればヨルダン川までストンと窪むように落ちていく。

第一次中東戦争時、生き延びるために必死だったイスラエルは海岸を中心に支配を確立したが、支配下の土地と西岸地区との境から海（地中海）までは近く、最接近地点では直線で約一五キロメートルしかない。西エルサレム周辺以外はだいたいにおいて平地しか取れなかった。平地にあるベン＝グリオン空港から数キロの地点にある丘陵地帯はアラブ側（ヨルダン側）の土地であり、そこから空港には砲身が見下ろしていたという。そして、一九六七年の第三次中東戦争時には、この傾斜地を登りつめて分水嶺を越え、一気にヨルダン川まで進軍した。それ以来状況は基本的に変わっていない。

ちなみに丘陵地帯には日当たりのよい東側斜面が多い。したがって、最近有名になりつつあるイスラエルのワインは、彼らがジュデア・サマリアと呼ぶヨルダン川西岸地区にユダヤ人が入植して作っているものが少なくないという実態がある。新約聖書でも、キリストがワインを自分の血に喩える場面が出てくるように、ワインはこの地域では昔から作られてきたが、近代においては一九世紀後半にフランス・ボルドー地方の最上級ワインを産出するシャトー・ラフィットのオーナーであったエドモンド・ド・ロートシルト（ロスチャイルド）家が要請を受けて、テルアビブから北一〇〇キロメートルほどにある港町ハイファ近郊のジフロン・ヤーコブなどにワイナリーを開拓したのが今のイスラエル・ワインの始まりと言われている。

†インフォーマルでフラットな社会

前述したとおり、街には子供連れが多い。子供が主役であり、大人だけの空間というのが比較的に少ないと思う。この国には若やいだ雰囲気がある。子供が多い社会なりの明るくかつ将来に楽観的な雰囲気を感じる。人々はインフォーマルで、格式がほとんどない。ネクタイはしないし、スーツ姿の人もそれほど多くない。一度知り合いの結婚式に招待されて出かけて行ったが、まさかまさか、ジーンズで参加している参列者も少なくなかった。

また、社会はフラットであり、日本人的な階層意識はほとんどない。ネタニヤフ首相のことも「ビビ」と呼び捨てである。ユダヤ暦では、アダムとイブが生まれてから今年（ユダヤ暦＝太陰太陽暦では、西暦二〇一九年九月〜）で五七八〇年というが、民族としての歴史は古くても、国としては新しいからだと思う。だから階層というものが「育って」いないのだと思ったりする。

休日は、ビーチや行楽地はどこも家族連れでごった返す。昔はビーチで水遊びするくらいしか娯楽がなかったという。イスラエル人男性と結婚した女性によれば、イスラエル人家族の遊び方というと、ビーチに行くかピクニックに行くか、それとも互いの家を訪問しておしゃべりするか、と今でも簡素なものである。国立公園網が発達しているので、砂漠のオアシスでウォーキングをしたり、湿地帯に水鳥を見に行ったりすることもできる。さらに、イチゴ狩りやオレンジ狩りなどもある。ただ、農園なども猫の額のように狭いことが多く、イチゴも午前中の早い段階で取り尽くされているし、オレンジもそこに来る人たちの方が樹下に鈴なりだったりする。

†交通渋滞

国土が狭い中での人口の増加により、イスラエルの人口密度は、経済協力開発機構（OECD）加盟国の中で最高レベルに達している。そして、急速に経済が発達してきた国の例に漏れず、大規模公共交通網（鉄道や地下鉄）が未整備であることにより、交通渋滞はこの国の宿痾《しゅくあ》となってきている。多くの人が通勤に車を使わざるを得ないため、車の中に缶詰めにされる時間がどんどん長くなっている。ひどい人だと、エルサレムにあるオフィスに行くために、毎日片道二時間以上も運転している（渋滞を耐えている）という。私の場合、それほど大変でないにしても、住んでいたヘルツェリアから大使館までの距離は約一五キロで、空いていれば一〇分で着くところが、通勤ラッシュの時間帯は四五分かかり、その所要時間は年々伸びている印象である。

幹線道路の左右には続々とビルやアパートが建設されており、そこに人が住み、オフィスがオープンして車が増えるのに、道路の「供給」はとうていマッチしていない。鉄道建設は遅延に次ぐ遅延で、イスラエル人もあきらめ顔である。全体として交通インフラはこの国のアキレス腱となっている。

「人の性格はハンドルを握らせればわかる」というが、イスラエル人はその（平均して）勝気《かちき》で短気な性格がハンドルを握るともろに出る。私も通勤のために毎日運転したが、それは闘いであり、イスラエル人の運転の乱暴さに腹が立たない日はなかった。道は絶対に譲らない、道を塞ぐように車を止めて人に迷惑をかけてもお構いなし、そして信号が変わる瞬間、あるいはそれより前にクラクションを鳴らす。

†物価は日本の二・五倍

イスラエルの物価は高い。体感としては、平均して日本の二・五倍はする。私がテルアビブの前に住んでいたロンドンと比較しても高い。昼ご飯を食べると二〇〇〇円は軽くするし、公共プールへの入場料も三〇〇〇円ほどする。自動車に至っては輸入関税が一〇〇%近くかけられているので、カローラで三〇〇万円しようかという高価格である。

イスラエル経済は、大手格付け会社スタンダード・アンド・プアーズから「AA」の高評価を受けており、為替《かわせ》も強含《つよぶく》みである。世界全体の金余《かねあま》り傾向の中で、小国として独自の金利政策を持つ自由は限られ、どうしても資産バブルになりがちであり、香港などのように不動産価格が高騰している。

テルアビブ内もいわゆる「億ション」が多く、不動産が若者の手に届かないという社会問題が発生しており、二〇一一年には、若者たちの抗議運動がテルアビブの目抜き通りで発生している。富裕層の金余りの投資対象は車にも及んでおり、高関税にもかかわらず、高級SUV（スポーツ・ユーティリティ・ビークル）が飛ぶように売れている。

自由主義経済政策をとるこの国でも貧富の差は拡大しており、社会における所得の不平等さを測る指標であるジニ係数はOECDの中でもかなり高い。テルアビブは高層ビルが林立する二一世紀の都市となってきているが、郊外や地方に行けば、イスラエルが貧しかった時に建てられただろうアパートなどが未だに多く残っている。エチオピアやロシア出身の人たちが多く住む地域では、社会問題と経済問題が交差している。もちろんアラブ系住民の町も点在している。

†パレスチナ人労働者からアジア人の出稼ぎ労働者へ

イスラエルは豊かになり、一人当たりGDPも四万二〇〇〇ドル弱と、日本を超えた（二〇一八年、IMF）。また、失業率も三・四％（二〇一九年一〇月現在、イスラエル中央統計局）であり、この国も出稼ぎ労働者に頼る構造となっている。

従来であれば、パレスチナ人がその需要を満たせるはずであり、確かに今もパレスチナ人が働きに来ているが、その存在感は薄まっている。二〇〇〇年の第二次インティファーダ以降、イスラエル本土とパレスチナ自治区を分離するための「壁」が建設され、それまで一体だった経済活動も分離される傾向にある。イスラエル・パレスチナ関係が厳しくなると「経済懲罰」として、パレスチナ労働者のイスラエル側への入域が困難となったりする。

それに代わって登場してきたのが、農業関係ではタイ人、家政婦関係ではフィリピン人、建設関係では中国人である。子供の学校の側に農場があり、そこでは野菜や果物を産地直売しているが、そこで見かけるのはもっぱらタイ人であった。イスラエルでは都市型農業が盛んであるが、野菜や果物の収穫などではどうしても人手が必要となるため、タイ人はイスラエル全土に広がって働いているという。在イスラエルのタイ大使は、イスラエルとパレスチナ（ハマス）側の小競り合いが絶えないガザ付近に滞在するタイ人労働者の安全確保に日常的に苦労しているとのことだった。

また、イスラエルでもご多分に漏れず、中国企業のインフラ分野への進出が著しい。主要港湾、高速道路、地下鉄などのインフラ建設事業を軒並み受注している。建設部門は労働者の確保が難しい業界であり、イスラエル政府は中国政府と協定を結び、中国人労働者を約二万人受け入れている。これは中国側が労働者を押しつけているということではなく、どちらかといえばイスラエル側の都合で来てもらっているという側面が強いという。中国もそんなに労働者が余っているわけではないらしい。イスラエルでは建設現場の管理・監督がずさんで事故も起きているが、中国側は、中国人の安全確保に神経をとがらせており、建設現場で事故が起こると、北京で、中国外務省が在中国イスラエル大使館高官を呼んで抗議をしたりしている。

これら出稼ぎ労働者の滞在期間は原則五年までで、厳しい運用が行われている。イスラエル政府にとっては、人口が多くない国で移民が大量に居ついて民族国家性が薄れてしま

ヘブライ大学開校式の風景（1925年）

うことへの警戒感が強いためである。このあたり、共生社会の議論が盛んな日本とは社会の雰囲気や状況も異なっている。

2 「人に歴史あり」

†ゼロから作り上げた歴史

イスラエル社会は、英仏の帝国主義によりオスマン・トルコ帝国から人工的に切り出され造出されたアラブの国民国家と違い、ユダヤ民族がアラブ人の支配する土地に少しずつ植民し、ボトムアップでゼロから作り上げた歴史がある。統治機構を除いて社会の様々な必要要素が独立以前から準備されていた。

日本で言えば東京大学にあたるヘブライ大学は一九

二五年に設立されている。第二次大戦が終了した段階で、国家機能の中枢である軍や警察こそ整備されていなかったが、それでもゲリラ組織はあった。独立後、ウルパンと呼ばれる語学教室が整備され、古代の言葉を復活させたヘブライ語教育で、世界中から集まってくるディアスポラを一つの言語で結びつけている。いわば、草木が大地にしっかりと根を張り、強風が吹いてもびくともしない強靭さを備えている。

「アラブの春」を経て、イスラエルの強靭さが現段階では突出していることが如実に明らかになっている。

†リロン一家の歴史

「人に歴史あり」という言葉は、世界中に散らばっていたユダヤ人のディアスポラ（漂流者、流民《るみん》）にとってまさにそのとおりである。そしてそれは、イスラエルの中に住むアラブ系住民にとっても然りである。

我々が家族ぐるみで付き合ったリロン一家。リロン、お兄さん、お父さん、お母さん、おばあちゃんがいる。シャブオットや過越祭など大きな祭りの際には、よく家の食事に呼んでくれた。鷹揚《おうよう》なイスラエル人らしく、家族や親戚と一緒に友人まで呼んで、輪の中に入って会話してくれる。

私の妻はリロンと、そしてリロンの母のアナットととても仲良くなったし、みな我が家の子供たちのことも可愛がってくれた。招待のお礼に、我が家にも彼らを招待して和食を振る舞ったところ、その日はおばあちゃんの九〇歳の誕生日で、「私は日本には行けないと思っていたけれど、今日、日本に行くことができた」ととても喜んでくれた。

おばあちゃんの結婚相手は、第二次大戦直後のエジプトから徴兵を逃れて独立間もないイスラエルにやってきた青年だった。船でたどり着いたが無一文で、誰一人知り合いもおらず、ヘブライ語もしゃべれず、文字通り大地を彷徨《さまよ》ったという。たまたま洗濯屋の仕事を見つけて極貧生活を送っていたときに知り合ったのが、若き日のおばあちゃんで、二人ともフランス語が少し喋れたので会話をしているうちに恋が芽生え……ということらしい。

結婚した当時、イスラエルは生き延びるのに精いっぱいのカツカツの国で、長男を妊娠した時は、普段は配給されない卵が一週間に二つだけ特別に配給されたという。今、長男は立派に腹が出て禿げた初老のおじさんになり、自動車洗車業を経営して大きな郊外マンションに住み、南アジア系の女性をお手伝いで雇い、家事を全てしてもらっている。

長女リロンは、センスの良い香水などを売る店を経営する店主さんだ。アナットはヨガに凝るセンスの高い女性で、二〇一九年四月に三週間、夫と日本を訪れて日本に惚れ込んでしまっている。

リロンの兄は米ニューヨークのウォール・ストリートの投資銀行で働いている。同性愛者であり、子供が欲しいということで、女性の同性愛者で子供を産んでみたいという人との間で体外受精をして、その女性の子宮内にそれを戻して無事出産したとのこと。お披露目のパーティに呼ばれたので、ホームパーティみたいなものだろうと想像して行ったところ、ホテルのパーティ会場を貸し切って、二〇〇人以上が来る大きな集いだった。ニューヨークからやってきたお兄さん、リロン一家、先方の女性及び同性愛のお相手、そして女性の家族が壇上に並んで挨拶し、踊りも入り、何とも陽気で不思議なパーティだった。

†ビサン一家の歴史

イスラエルには人口の二割ほどアラブ系のイスラエル国籍保持者がいる。ビサンはアラブ系キリスト教徒だ。高校生の時に日本のNGOの招聘《しょうへい》で訪日し、広島などを訪問してスピーチをした。その後、奨学金でロンドン・スクール・オブ・エコノミクス（LSE）にも留学した才媛である。

父、母、兄、本人、妹の家族であり、彼女の家族はラムレという町でアラビア料理のレストランを経営している。お父さんは米国大使館勤務でUSAID（アメリカ合衆国国際開発庁）の現地スタッフだ。母親も地元で働き、ビサンたちを育てた。ビサン自身は日本大使館にも勤務していた。

このラムレという町は、テルアビブの隣の古い港町ジャッファからエルサレムへの「巡礼街道」沿いにある。塩野《しおの》七生《ななみ》の『十字軍の物語』にも出てくる宿場町である。ジャッファからエルサレムへの二泊三日の旅の最初の夜の宿泊地であったという。町の中心にある古いカトリック教会は、ナポレオンが中東遠征の際に宿泊したという由緒がある。古代、中世、近代のどの時代からそこに住んでいる家系なのかまでは聞きそびれたが、彼女のような家がこの町出身というのは全く不思議なことではない。

子供の教育にと、我が家は一家で彼女の祖父母の経営するレストランを訪ねさせてもらった。両親とビサンにも我が家に来てもらって夕食を一緒にした。妻の大学の友人の娘さんが日本から来たので、イスラエル体験をと思い、若い世代の「代表」としてビサンに会ってもらったこともあるが、その後にビサンがユダヤ系イスラエル人の友達と日本に観光旅行に来た時に、その娘さんの川崎の実家を訪問していた。

祖父はユダヤ人とアラブ人との共生を信じた活動家で、ユダヤ人と一緒に反英独立闘争をしていたという。宗教や民族の軛《くびき》から脱してイデオロギーの下に誰もが平等な新国家を作ろうとする共産主義の趣きを感じる。しかしその夢は破れ、彼はユダヤ人による祖国の（再）建国という事業の「部外者」になってしまっている。

祖父はレストラン経営で父を育て、父はとても優秀な人なのだろう、ＵＳＡＩＤの現地スタッフのトップとなっている。そして母親もラムレにある平和センターに二五年間勤務した。ＵＳＡＩＤは西岸地区などで日本のＪＩＣＡ（国際協力機構）と並ぶトップドナーであり、彼の下には何十人ものスタッフがいるが、トランプ政権になり、パレスチナへの全支援を停止するという政策が取られ立ち往生している。

娘のビサンも社会で疎外感を感じている。ＬＳＥ時代に「ＴＥＤ ＴＡＬＫ」に出演したものがYouTubeにアップされているが、彼女のテーマは、「自己紹介することの悩み」だった。

二〇一八年夏にクネセト（イスラエル議会）が、「ユダヤ国家法」を通し、イスラエルを“Jewish and democratic state”から、“Jewish state”に再定義し、公用語を「ヘブライ語とアラビア語」から、「ヘブライ語、ただしアラビア語は特別なステータスを持つ」と変更した際も、彼女は「差別されていないと一時も感じたことはない。しかしそれをあからさまに正面から認めるというのはまたひどいことだ」と憤っていた。

ラムレの町の祖父のレストランは岩をくりぬいたような形をしている。ちょうど昼時で、少し薄暗い店内は、ユダヤ系や観光客らしきグループなどで盛況だった。子供たちには、アラビア料理を食べさせる貴重な機会となった。食後のそぞろ歩きに、件《くだん》の教会を通り過ぎて、近くにある彼女の親戚の家に立ち寄る。入り口には珍しく小さな池があり、子供が「金魚がいるよ」と指を差す。中に入っていくと、三階建ての一階がアトリエで、二階から上が居住スペース。アトリエには所狭しと現代の造形アートが並んでおり、台所や風呂のスペースまでそれが続いている。

アラビアン・コーヒーが出てきてしばし歓談する。帰り際、玄関脇に鍵のコレクションが飾ってあるのが目についた。聞くと少し笑みを浮かべつつ、「この鍵は、自分たちが追い出された家にいつかは帰るという誓いのお守りなのよ。アラブ人の家には皆あるわ」と淡々と説明してくれた。

†様々なストーリー

この国の（ユダヤ系の）人たちの家系を辿っていけば、ほぼ一〇〇％がどこか外国の地からの移住組であり、その出身地も西欧、東欧、ロシア及び旧ソ連諸国、中東、南アフリカなどのアフリカ、北米、南米、インド亜大陸など様々である。大使館の現地職員の家族の出身地も、ルーマニア、イラク、南アフリカ、ウクライナと多彩だった。日本の自動車販売代理店などを経営するコングロマリットの社長は、革命後のイランから移住してきていた。

貧しい境遇からの成り上がりのストーリーも耳にする。私の子供の水泳コーチだったイタイは、サーフィンをこよなく愛するとてもハンサムな若者だ。水球のナショナル・チームに所属し、勉学にも秀でてカリフォルニア大学バークレー校を卒業し、アプライド・マテリアルズというその世界では非常に知られた会社に就職した。

イタイの父とは、彼の邸宅で会った。というのも、子供に水泳のレッスンをしてもらうにも公共プールの入場料は日本円で三〇〇〇円もして、日本人の私としてはそんなお金を払ってられないので、イタイの父の邸宅にあるプールを使わせてもらい、イタイにコーチをしてもらったからだ。父親は、USBを発明した会社の創業者の一人で、その発明を会社ごと身売りして巨万の富を得て悠々自適の生活をしている（現在は別の会社を立ち上げており、引退しているわけではない）。

離婚して再婚した相手（つまりイタイの実の母ではない女性）とともに、水泳のコーチを受ける子供を見ながら話をしたが、「小さいころは本当に極貧の生活をしていた。学業をして知識を身につけるしか、あの貧困から逃れる術はなかった」と淡々と語る彼にとって、イタイやその兄弟（たしか弟も妹もいたと思う）がイスラエル軍に入り、そこで知識を身につけて、さらに大学で学歴を磨き世に出ていくことは無上の喜びだという。

マークは軍特殊部隊出身で准将《じゅんしょう》まで昇りつめたが、現在はテクノロジー関係のスタートアップ企業を経営する。退役後、まだ中学生から小学生だった四人の子供たちを連れて一年間世界旅行を敢行して、インド・チベットと呼ばれるラダック地方まで家族を連れていったという。奥さんのキャサリンは英国からの移住組である。トライアスロンをする猛者であり、イスラエルをこよなく愛している。今は一番下の子供が兵役を終えて大学に入ったところで、四人の子供たちが近くに住んでくれることを期待しつつ、テルアビブから五〇キロほど北にあるドール・ビーチという海のすぐ近くのモシャブ（コミュニティとして集合的に住みつつも、キブツと違い個人生活を基本としている住宅地）に住んでいる。

この漁村も一九四八年にイスラエルが独立した時にアラブ側勢力と激しい戦闘になった土地であり、結果としてアラブ人は一掃され、現在は彼らの漁船が繋留されているだけである。近くのアラブ人町から漁師が「通勤」して漁をしに出る。そのアラブ人町には魚屋があり、近傍のユダヤ人もよく買いに来る。我が家も、人が来るときにここまで魚を買いに来て、鯛などを三枚におろしてもらい、家で刺身用に小切りして客に出していたものである。

†集団的記憶の通奏低音

イスラエルに駐在する英国大使館やフランス大使館の連中と、イスラエルで大規模な戦争が起きた場合の危機管理について話をしていると興味深いことに気づく。日本大使館としては、在留邦人をどう早期に安全に国外に避難させるかということに尽きるのだが、彼らは一方で在留自国民の避難について考えながらも、有事にはイギリスやフランスから「祖国」の危機を救うために流入してくるユダヤ系の「義勇兵」をどうすべきかということも念頭に置かなければならないのだ。

イスラエルという国があるおかげで、ユダヤ人には、今住んでいる土地に居続けるか、イスラエルに「帰還」するかという選択肢がある。彼らの集団的記憶の通奏低音には、ユダヤ人というだけで歴史的に迫害され、二〇世紀にはついに組織的な皆殺しまで計画されたという凄惨な現実がある。スペイン、イギリス、フランスなどの西欧では、中世から近世の歴史のある段階でユダヤ人は大弾圧の対象となった。その後のユダヤ人居住の中心であった東欧やロシアにはポグロム（虐殺）の歴史がある。

さらに、ユダヤ人でありながら、ユダヤ教の戒律に従わずに独自の教えを説いたイエスであるが、キリスト教徒にとっては、そのイエスを殺したのがユダヤ民族に他ならず、それが故に潜在的な憎悪の対象となる。「ユダヤ人はキリスト教徒の子供を誘拐してその生き血を吸って儀式を行う」というのがポグロムの口実の一つとなった。かえってイスラム教社会での方が、ユダヤ教徒は「啓典の民」として二級市民ながらも公認の地位を得ていた状況であり、大きなユダヤ人社会がバグダッドにもカイロにも、そしてイスタンブールにも何世紀にもわたり存在し続けたが、それも第二次大戦後に消滅してしまう。

イスラエルの新聞には、反ユダヤ主義が世界で盛り上がってきていることへ警鐘を鳴らす記事がしょっちゅう掲載されている。ちょっと過敏ではないかとの印象も受けるが、そこにはこのような歴史的背景がある。二〇一六年にフランスでユダヤ系社会に対する一連のテロがあって以来、フランスからイスラエルへの移住者は増えているという。確かに、イスラエルではフランス語が耳に入って来ることは少なくない。

一九五〇年代までは米国の大学にユダヤ系は入学できなかったというのは隔世の感があるが、しかしユダヤ系の人々が、米国のそのような反ユダヤ主義のDNAがいつまた再起してくるかと怖れを抱き、非寛容で分裂した米国社会を憂うのは理解できることである。一度、(ユダヤ系)イスラエル人から、「日本人は頭がよく学力が高い」と言われることをどう思うかと聞かれたことがある。その時は無邪気に答えたが、彼らには「ユダヤ系は頭がよい」というふうに集団的に褒められることへの抵抗感があることが判った。一見肯定的なくくりも、所変われば、たとえば「ユダヤ系は金持ちで狡猾《こうかつ》である」というマイナスのレッテル張りに急変することを警戒しているのである。

このような文脈の中では、イスラエルという「戻る場所」があるというのは世界のユダヤ人にとって心の安定剤となる。今のイスラエル政権への政治的立場がどうであれ、ユダヤ人にとってイスラエルを何らかの形で支援するのは当然のこととなる。いざとなれば「義勇兵」となって祖国イスラエルを守りに行く、というのはその延長線上にある行為だ。

また、イスラエルに移住することを、「帰還（アリヤ）」といい、その際は盛大な祝宴が催される。元からイスラエルの地にいる人にとっては仲間が増えることであり、帰る人間にとっては、イスラエルという祖先の地への帰還とイスラエルのユダヤ人社会への融合を意味する。それは未だ帰らざる人たちに対する帰還への無言の呼びかけであり、当座帰還しないとしても、イスラエルを訪問して祖国のために寄付をするなど何らかの貢献を求める声でもある。

3　社会主義共同体からアメリカ型資本主義へ

†防衛費が対GDP三五％！

イスラエルは、建国以来一九七七年まで社会（民主）主義者がリードする国家だった。計画経済モデルで、また原始共産主義の理想の実現を目指すキブツがあちこちに建設された。ソ連共産主義の国際的影響力だけでなく、イギリスの「ゆりかごから墓場まで」の社会保障政策や主要産業国有化などの社会主義的政策を見ても、それが当時の国際的な潮流

エジプト・イスラエル平和条約署名式でのカーター米大統領（中央）、サダト・エジプト大統領（左）、ベギン・イスラエル首相の握手（1979年3月26日。於：米国ワシントン）

でもあった。

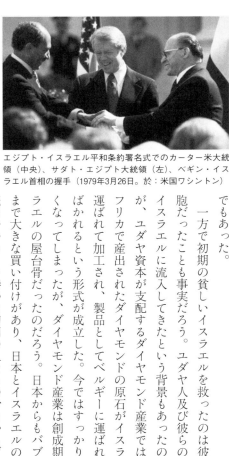

一方で初期の貧しいイスラエルを救ったのは彼らの同胞だったことも事実だろう。ユダヤ人及び彼らの技術がイスラエルに流入してきたという背景もあったのだろうが、ユダヤ資本が支配するダイヤモンド産業では、南アフリカで産出されたダイヤモンドの原石がイスラエルに運ばれて加工され、製品としてベルギーに運ばれ売りさばかれるという形式が成立した。今ではすっかり影が薄くなってしまったが、ダイヤモンド産業は創成期のイスラエルの屋台骨だったのだろう。日本からもバブルの時まで大きな買い付けがあり、日本とイスラエルの間で商売のかかわりを持った初期の人たちの少なからずがダイヤモンド産業に携わる人たちだったようである。

また、国の創成期はとにかく存続が不確かであったので、防衛が全てに優先していた。軍事費の対GDP比は三五%に上ったという。一九七七年のサダト・エジプト大統領（当時）の電撃的かつ衝撃的なエルサレム訪問が大きな転換点となり、一九七九年にはエジプト・イスラエル平和条約が成立し、イスラエルの四面楚歌は終わった。

計画経済モデルは一九八〇年代に破綻し、一九八六年にはデノミを強いられるほどになる。この頃のハイパー・インフレは、バスに乗車した時と降車する時で料金が違っているというほどで、時のペレス首相はデノミを宣言、経済改革が始まり、暫時自由主義経済に旋回していく。安全保障環境が改善したこともあり、国防費も対GDP比五～六％へと逓《てい》減《げん》していく中で、金食い虫の象徴と言われるラビ戦闘機の自主開発もこの時に放棄されている。その時解雇された三〇〇〇人に上る最先端技術者が民間に出て彼らがハイテク産業の起爆剤になったということである。

九〇年代には、ソ連の崩壊とともに、旧ソ連から大量の移住者が流れ込んできた。その数、少なくとも一〇〇万人以上と言われ、それだけ大量の人たちが人口わずか数百万人の国になだれ込んできたのであり、瞬く間にロシア語が、ヘブライ語、アラビア語に続く第三言語となった。

ロシア大使館関係者に一度聞いたところ、現在ロシア系と言われる人は一二〇万人ほどいるが、全てがユダヤ系かどうかは証明しようがないらしい。旧ソ連の経済的困窮を逃れて相当の高学歴者も移住してきたので、「博士がガードマンとして食いつなぐ」状況となったという。彼らは特に、数学、医療、音楽、スポーツの分野で顕著な貢献をしたと言われている。そして一九九三年には、これらロシア系移民の受け皿の意味もあり、ベンチャー企業への支援プログラムであるヨズマ・プログラムも開始されている。

†一人当たりGDPで日本を超えた！

その後のイスラエルは、着実かつ一貫したマクロ経済運営と、ビジネスに寄り添う政策、高等教育の裾野拡大と充実などにより高めの経済成長を維持してきた。二〇〇〇年代に入り平均経済成長率は三％前後で、第二次インティファーダが始まった直後の二〇〇二年を最後に（リーマン・ショック時も含め）マイナス成長のない状況を続けてきた。

そして二〇一八年の経済成長率は三・二％で、一人当たりＧＤＰも約四万二〇〇〇ドル弱と、日本を凌駕している。ネタニヤフ首相がリクード党の集会で、「我々の一人当たりＧＤＰはついに日本を超えた！」とアジっていたことも報道された。

特筆されるのは、この間に起こった産業構造の変化である。ダイヤモンド産業は後景に退き、敵国と海に囲まれ自給自足のために始まっただろう農業も徐々に穀物や肉類は輸入に頼るようになる一方、耕作面積は増えてジャッファ・オレンジのように欧州にまで柑橘《かんきつ》類などが輸出されるようになった。

搾乳の技術も高く、一頭当たりの搾乳量はオランダを抜いて世界一で、北海道から来た牧畜家が舌を巻き、「イスラエルに技術を輸出するつもりで来たが輸入する必要があるかもしれない」と言って帰国されたと聞いている。もっともインド大使館関係者によれば、牛の扱いは良くないというが。そして何よりも、ハイテク分野が輸出の五割を占める稼ぎ頭となった。

もちろん、アメリカ型の資本主義の影の部分が浸透して拝金主義も広まっている。軍、インテリジェンス機関も含めた政府機関は民間にマッチングできる待遇を提示できず、公的部門への奉仕というエトスが機能しなくなってきているという。労働生産性が高いハイテク分野は、輸出の五割を稼いでいながら、労働人口の一割の雇用も生み出せていない。貧富の差はOECDでも最悪レベルに拡大している。年金・医療などが手厚くない中で資産インフレは進んでおり、世代間の不公平感も強くなっている。幅広い中産階級が支える民主主義社会というモデルがイスラエルでも衰退してきている。

新自由主義は、世界各地で明らかに曲がり角に来ている。英国は、一〇〇〇年あまりの国家独立の歴史への自尊心と、移民がもたらす社会変容への不安感が糾合してEU離脱（ブレグジット）に突き動かされた。この動きは外から見たら無意味な混乱にしか見えないかもしれないが、一七世紀に英国が清教徒革命・名誉革命を経て代表制民主主義で世界に先鞭をつけたように、グローバリゼーションの逆向き発進という意味で世界の先頭を走っているともみなし得る。フランスの歴史家で人類学者のエマニュエル・トッドはそのような趣旨を述べ、むき出しの自由貿易ではない、一定の管理がなされた貿易を志向することを推奨している。

米国では産業構造の変化による「負け組」の出現が地域における雇用問題、移民問題、人種問題と糾合してこれまでのコンセンサスを崩壊させたし、フランスでは社会の閉塞感が「黄色いベスト運動」となって出てきている。

グローバル化と「新しい独占」が社会に動揺を与える構造は、イスラエルでも類似のものがあると思う。しかし、イスラエルでそれが最大の問題となっていないのは、①近隣諸国との緊張状態、②アラブ系イスラエル人、世俗系と超正統派ユダヤ人との社会の中での緊張状態、というより高次の二つの問題が存在するために、この問題が相対化されているからだ。この国の選挙の主要争点は景気ではなく安全保障であり、安全保障の経歴が政治家として最も重要である。

4 「スタートアップ・ネーション」

†イスラエル企業の成功

二〇〇九年に発売された『スタートアップ・ネーション』（邦訳『アップル、グーグル、マイクロソフトはなぜ、イスラエル企業を欲しがるのか？』）という本は、イスラエルの新しい顔としてのブランド作りに大きく貢献したが、イスラエルの企業は実際に顕著な成功を収めてきた。

ボーカル・テック社が開発したインターネット電話などに使われている通信技術のソフトウェアVoIP、テクニオン大学が開発したZIPファイル技術として採用されたファイル圧縮アルゴリズムLZ、M-Systems社が開発したUSBで使用される技術であるフラッシュメモリー（同社は米サンディスク社に買収される）、モービルアイ社が開発したセンサー・カメラによる衝突事故防止システム（インテルに買収される）、Waze社が開発した無料ナビアプリ（米グーグルに買収される）などは、革新的技術開発がこの地で起きているものの数例に過ぎない。

それ以外にも、今やアグリテック（農業技術）、メディテック（医療技術）、フィンテック（金融技術）などの分野で一獲千金を狙う野心的かつ能力のある若者がひしめいている感がある。

ネタニヤフ首相のお気に入りのストーリーは、企業において研究開発を行うための「R＆D費」の一人当たりの国際比較でイスラエルが韓国、日本を抑えて世界一であること、二〇一八年の世界時価総額ベストテンのほとんどを占めるIT関連企業が全てイスラエルに大きなR＆Dセンターを持っていること（二〇〇八年にはエネルギー企業が大半を占め、イスラエルにR＆Dセンターを持つ社はほとんどなかった）、世界のサイバー防衛関係投資先としてイスラエルは米国に続く世界第二位であることで、これらを必ずと言っていいほど講演などで言及して誇っていた。

二〇一一年から二〇一八年の間に、イスラエルでは五三一三社のスタートアップ企業が設立されたと報じられている。同報道によれば二〇一九年には九つの新たな「ユニコーン」（企業としての価値が一〇億ドル以上で非上場のベンチャー企業）が生まれ、その結果、イスラエルにおけるユニコーン企業の総数は二〇社となり、米、中、英に続く第四位となっている。最近は「スタートアップ・ネーションからスケールアップ・ネーションへ」との掛け声も聞かれる。ちなみに、日本経済新聞の二〇一九年一一月三日の記事によれば、日本のユニコーンはプリファード・ネットワークス（AI開発）、TBM（プラスチック代替素材）、スマートニュース（情報アプリ）の三社である。

†世界的競争力を誇るサイバー防衛分野

サイバー防衛の分野での成功は特筆に値する。サイバー空間は、まず情報機関と軍が通信のやりとりの入手（盗取）という形で「活用」し、そしてサイバー技術を使って物理的に打撃を与えるというオペレーションが取られるようになった。これらはもっぱら水面下の動きであったが、二〇一〇年のスタックスネットによるイラン核施設へのサイバー攻撃などで世の中に露出したので、各国で公の政策としてのサイバー防衛が喫緊の課題となった。

イスラエル政府もサイバー防衛戦略を作ることになり、ベン＝イスラエル教授がその責任者になった。同教授によれば、このサイバー防衛戦略の最も重要なところは、技術がど

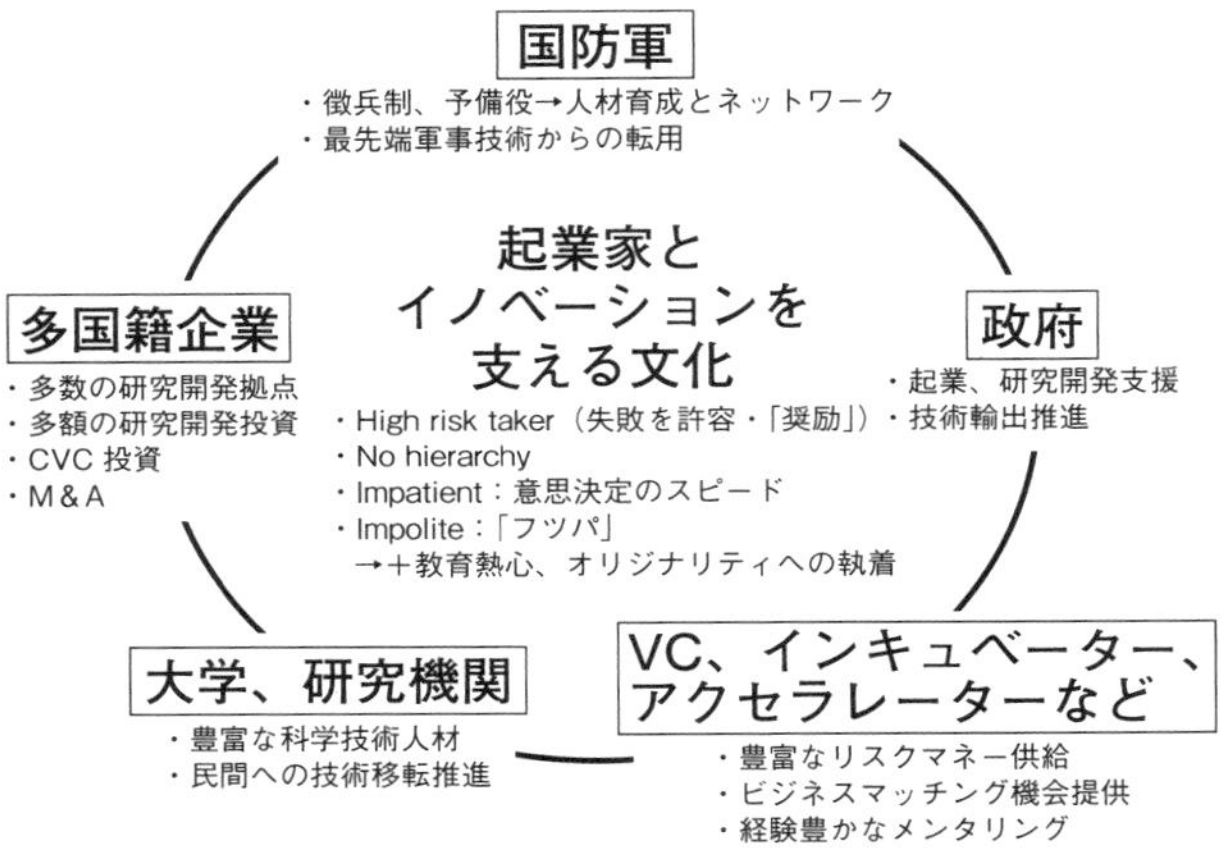

イスラエルの「エコシステム」：男女皆兵の国防軍を中核としたネットワーク

う進展するかは誰にも予測できないので、サイバーを理解する人材を養成してプールしていく「エコシステム」を構築することである。高校生の段階でサイバー教育を施し、「軍」の素養と才能を持った若者を部隊（八二〇〇部隊など）にて実地で訓練し、除隊後には「産」の企業に勤務し、やがては自分でスタートアップ企業を立ち上げていく、というのがそのサイクルの典型例である。

また、「学」では主要大学に一斉にサイバー・センターを立ち上げた。ベン＝イスラエル教授自身もテルアビブ大学にサイバー・センターを設置した。その頃には世界の大学でサイバー・センターを擁しているところは他になかったという。同センターには、今では哲学などの専門家も含め五〇〇人のスタッフがいる。

ベン＝イスラエル教授によれば、二〇一二年のサイバー防衛戦略から七年後の現段階で、世界のサイバー関連マーケットのシェアでイスラエルは米国に次ぎ二位、世界マーケットの八％を占めており、世界のサイバー関連投資の一八％がイスラエルで投資されているという。二〇一七年には、サイバー関連の輸出額が武器輸出を上回ったというから見上げたものである。

なお、サイバーについての国家ガバナンスとして、イスラエルは国家サイバー局を立ち上げて重要インフラ及び民間のサイバー空間を保護している。民主主義は情報機関に信を置かず、個人情報に触れることを好まないとして、情報機関とは別にガバナンス機関として国家サイバー局を立ち上げたのであり、その深謀もなかなかのものである。

サイバー関係企業は日本にも活発に進出してきているが、二〇一二年創業のサイバーリーズンはソフトバンクから数次の出資を受けて早くも「ユニコーン」の仲間入りをすると言われている。創業者の一人は、八二〇〇部隊でサイバー攻撃部門を担当していたとのことで、サイバー攻撃をやっていたときは一〇〇％成功していた。だから、民間に入って今度は「防御」を売っているという。別の会社の社長はサイバー部隊の長をやっていたが、そのときは攻撃部門に配属していた若者を防御部門に配置転換すると退屈してしまっていたという。このような領域は日本の民間企業には到底到達できないものであると思う。

そして、ベン＝イスラエル教授の直近のテーマはＡＩである。同様の戦略をネタニヤフ首相に提言し、それは国家戦略として既に発動されている。さらに同教授は宇宙庁長官も兼務しており、イスラエルの宇宙政策もリードしている。イスラエルでは、教育目的で高校生にナノ衛星を運営させている。これはもともとＮＡＳＡの公募に応じて一〇×一〇×三〇センチメートルのナノ衛星を作って見事当選した高校に、ＮＡＳＡのプロジェクトが停止した後も助成を出して衛星運営をさせたものだが、このような高校の数を全国で増やして、各々の高校にナノ衛星を運営させて実地の経験を積ませている。

さらに、彼らをサポートするためにテルアビブ大学に宇宙関連のセンターを創設し、主に現役大学生からなるチームによる技術支援体制を構築している。それでも宇宙産業におけるイスラエルの目標とする世界市場でのシェアは四％に過ぎない。なぜかと聞くと、人口の少ないイスラエルでそれ以上人材を投入すると、他の重要な分野へのインフラ投資が貧弱になってしまう恐れがあるという。ここもまたよく考えている。

第 二 章

イスラエルの強さの秘密

2000年前にユダヤの民が最後に立てこもり全滅したマサダ要塞を背景に、その歴史を二度とくり返さないことを誓う新兵たち(ⓒZizoxaxa)

1　国防軍――イスラエルそのもの

†イスラエル国防軍の四つの機能

イスラエルにおけるイノベーションの開花は、政策支援、産学の近さ、開放的な対内投資政策と多国籍企業の貢献の高さ、豊富なリスクマネー供給（ベンチャーキャピタル及び開発段階に応じた多様な民及び官からの支援）などが重なり合ったものであるが、殊に、男女とも皆兵の国防軍の存在が極めて重要である。そして、国防軍は経済や軍事だけでなく、イスラエルの社会及び政治の核でもあり、したがって「イスラエルそのもの」である。その本質は、①社会のるつぼ、②社会人教育施設、③職業訓練学校、④同窓会の集合体、の四つであると私は思う。

†①社会のるつぼとしての機能

イスラエルは世界中から離散ユダヤ人が集まってできた社会である。アシュケナジー

（ヘブライ語の「ドイツ」を語源とし、東欧出身のユダヤ人を指す）やスファラディ（ヘブライ語の「スペイン」を語源とし、中東出身のユダヤ人を指す）だけでなく、ロシア、エチオピアやインド（約八万五〇〇〇人もいるという）からの帰還者もいる。彼らは高校までは地元のコミュニティで育つ。当然、先祖の出身国や社会的階層が同じ似た者のみの世界である。

そのような人々が一八歳となり軍隊に入った途端に、まったく異なるバックグラウンドを持った同年代の若者同士が寝食、訓練を共にし、それまでとはまったく違う世界に足を踏み入れる。彼らはミッション完遂のために協力して難局を乗り越えなければならない。これらの共通体験を通して、彼らはイスラエル人としての一体感と紐帯《ちゅうたい》を全身で感じる。社会のるつぼで若者たちがかき混ぜられ、「イスラエル人」の誕生となるわけだ。これがイスラエルという国民国家の不断の創造・継承のプロセスである。

ただし、超正統派ユダヤ教徒の若者及びドゥルーズ派を除くアラブ系には徴兵の義務がない。前者は、イスラエル建国にあたって、建国の指導者が超正統派のラビたちから協力を得るために、ユダヤ教徒の徴兵の義務を免除した。後者は、イスラエル政府の選択の結果である。超正統派ユダヤ教徒は人口の約一〇％弱、ドゥルーズ派を除くアラブ系は約二〇％。つまり、イスラエル軍は人口の七割の人たちのみで構成されていることになる。

なおドゥルーズ派は、シリア側やレバノン側までまたいで散らばるイスラム教の中でもごく少数の宗派で、イスラエル建国以来、国防軍に参加しており人口当たりの死亡者も多い。ユダヤ国家法成立の際に、イスラエルの国のために犠牲を払ってきた自分たちを蔑《ないがし》ろにしたとして憮然《ぶぜん》としていたのも当然である。

②社会人教育施設としての機能

高校生までは世界の他の同年代とあまり変わらない生活を送るイスラエルの若者も、ひとたび徴兵されて軍隊に入ると早朝にたたき起こされ、厳しい訓練を受け、集団生活をする。このような環境の激変はさすがにメンタルに大きな負荷がかかるという。イスラエルは国土が狭いため、若き兵士たちは二週間に一回の週末のオフに実家に帰る者たちが多いが、家庭の方もたまに帰ってくる彼らを短い週末の間歓迎して心のケアをし、そして安全を祈りながら週明けに送り出すということを繰り返す。

そのためイスラエル外務省勤務者でさえ、子供がこの年齢にかかった職員はなるべく国内に留まろうとするために、人事ローテーションを組むのがなかなか難しいという。また、兵士の母親は「モンスター・マザー」である。母親たちは兵士の上官の携帯番号を知っており、上官がちょっとでも我が息子、娘を不当に扱いでもしようものなら、さっそく電話をかけてまだ若い上官を難詰《なんきつ》する。

このような感じなので、若い兵士の命は国民共通の関心事である。たまに若いイスラエル軍兵士の誘拐事件が起こるが、その誘拐された兵士を、国民は我が子の誘拐のように思い関心を寄せる。そのような中で兵士が殺害されると国民世論は激昂《げきこう》する。二〇〇六年の第二次レバノン戦争も、兵士の誘拐がきっかけで始まったものである。

二年目、三年目となると十数人単位での部下を統率する者も出てくるが、いかにリーダーシップを発揮して自分の部隊の士気・技術を維持できるかが試される。この頃、子供だった兵士は急に大人っぽくなるという。あるイスラエル人は、週末に家に戻ってきた娘が、「私の部隊はモサドより優秀であり、この部隊に予算をつぎ込むことがいかに政府及び軍にとって重要で効果のあることなのか」と長広舌《ちょうこうぜつ》で説明してくれた、と語っていた。

ある大学の副学長は、イスラエルの若者が軍隊生活を通じて成熟するので、同年代の米国人学生に比べてもとても大人っぽいと言い、その理由として①ミッション、②チームワーク、③リーダーシップ、④時間、⑤情報、⑥資源、の六つの要因を挙げていた。軍隊では任務完遂が命にも関わることとなるので強く求められるが、実際に任務は一人では出来ず、チームワークとそのチームを指揮していくリーダーシップが必要である。他方で任務達成のために与えられた時間は有限であり、情報も断片的なまま行動が迫られることが常である。さらにはイスラエルのような小さな国では予算も物的資源も限られているので現場の工夫が必要だ。

イスラエルではいつ大規模な戦争が始まるかわからない緊張感があるし、また「テロ」への対処作戦、あるいは越境攻撃作戦などもしばしば行われているため、任務というのは命がかかった切実なものになる。これらを経験した若者たちは確かに逞《たくま》しい。徴兵期間が終わってから大学に入学するということもあり、おぼこいところが残る日本の大学生に比べて数段大人びているのは事実である。

†③職業訓練学校としての機能

イスラエルでは高校生の段階で、一年かけて行われる全高校生の能力検査を基に、適性に合った部隊に振り分けられ、そこで徴兵期間（男性が三年弱、女性が二年弱）を過ごす。

このテストは心理検査や語学適性なども含むかなり綿密なもので、建国以来の国防の需要を反映した厳しいもののようである。振り分けにあたっては、若者の方からも希望を出すことができ、人気ベスト三は、空軍パイロット、サイバー部隊、インテリジェンスであるという。

他方で、軍側も部隊から採用希望を出せるが、昔は空軍航空部隊が最も優遇されていたが、今はサイバー部隊が優遇されている。また語学堪能な者は、その適性に応じた言語を割り振られるという。

若者にとってサイバー部隊は憧れの部隊である。そこに行けば除隊後、軍のバラックの門の外にはリクルーターが詰めかけ、初任給から月給一〇〇万円はオファーされる。たぶん冗談だろうが、門の外には新品のベンツが横付けされ、就職を決めてくれた者には鍵が渡され、そのまま運転して帰ってもいいと言われる。

そして若者の両親にとっては、徴兵される若者のうち最も優秀な者がサイバー部隊に採用されるだけにサイバー部隊入りは誉《ほまれ》が高い。戦闘に従事して死傷するリスクも低く、子供の将来も「保障」されるなど、言うことなしの「職場」であるから、子供のサイバー教育にも身が入るというものである。社会全体でもこのような「将来につながる実学」への人気が高く、逆に大学における人文学志望者はかなり減っている。法学部やビジネススクールへの志望者でさえそうだ。

そして、イスラエルにはスーパー・エリート教育がある。高校の時のスクリーニングの結果で上位一％に入った優秀者には、大学での三年間（医学部の場合は七年間）の教育が無償でオファーされる。その代わり、軍役については徴兵期間プラス二年の勤務が求められる。もちろん、これを拒否してもよいし、軍側もどうしてもという学生には条件を更に緩和して軍役三年間だけでもよいからとオファーしてくることもあるらしい。イスラエルは融通無碍《ゆうずうむげ》な国だから、何でも交渉次第というところがある。

イスラエルの高校までの教育水準はそれほど高くない。OECDのPISA学力テストでも中の下である。しかし社会を引っ張るエリート層を伸ばすことを目的とするこのような教育システムによって、実際にこのプログラム出身者は、イスラエル社会を引っ張るエリート集団として様々な分野でリーダーシップを発揮している。このようなエリート教育を七〇年あまり続けていることの意味は少なくない。戦前の日本はともかく、戦後の日本でこのようなエリート教育は許されるだろうか？　また、ルールを融通無碍に「曲げて」運用するということは日本にできるだろうか。この世界においても彼我《ひが》の差があることを感じる。

④同窓会の機能

若者は一八歳でイスラエル軍のある部隊に入り、徴兵期間を過ぎれば予備役に編入される。人口が少ない中で民主主義と産業社会を運営しつつ、有事における急激な動員力・戦闘能力を維持するためには予備役の能力が非常に重要である。そして予備役として召集されれば、当然仕事を休んで戦場に駆けつけなければならない。このような予備役としての練度の維持のため、一年間に数週間、自分の部隊に戻り訓練を受けることが四〇代半ばまで求められる。その結果として、同じ釜の飯を食べた同士と毎年再会する機会があるわけであり、一生ものの濃密な人間関係が形成される。

イスラエルでの相手への質問の決まり文句は、「それでお前はイスラエル軍の中でどの部隊にいた?」というもので、これが決定的に重要である。大学名を聞かれることはほとんどない。このようにミクロの同窓会が無数にできることにより、イスラエル社会での人間関係の中核が形成され、また、小さい国なので、誰もが誰もにどこかでつながる大同窓会が形成される。これが強固なだけに、その一方で先述のように社会から疎外されてくるグループも出てくるのである。ちなみに日本人を含む外国人もそのループの外にいる。

†軍と市民社会

この国での驚きの一つに、参謀総長の交代式がテレビで生中継されるということがあった。少なくとも先進民主主義国ではこういう例は聞いたことがない。軍人のトップとはいえ参謀総長は、さらに上に国防大臣、そして首相がいる。イスラエルにおける国防軍の中核的な重要性を改めて認識させられる機会であり、実際に、この国では安全保障が一番重要である。選挙の最大の争点は、常に（または多くの場合）景気ではなく安全保障であり、軍隊経験が乏しい人物は首相候補にふさわしくないとされている。軍あるいは情報機関に従事することは国の誉れである。

しかしそれでも、エジプトやパキスタンのように軍が一大既得権益集団となっているわけではない。軍人は制服を脱ぎネクタイをつけて選挙に出る。主要政党も様々な利益を代表する者から構成されている。政党指導者が選挙で勝ち連立を組んで首相となり、首相（及び国防相）が最終的な意思決定権者となり、文民統制も貫徹されている。徴兵制の下で国民の大多数は軍に従事したことがあり、軍隊は市民社会のものであるとの意識が強くある。

実際、参謀総長から首相になったのは、これまでラビン元首相とバラク元首相の二人しかいない。ラビン首相にしても、参謀総長を辞めてから駐米大使などを歴任して首相に就任している。またバラク元首相はイスラエル史上最も短命な政権であった。現在混迷しているイスラエル政治で、ガンツ「青と白」党共同代表が生き抜いて首相に就任すればやっと三人目である。このように軍のトップの資質と首相の資質は違うと言われることが多々ある。

2　イスラエルをイスラエルたらしめる文化的特質

†英国はなぜ資本主義で先鞭をつけられたか？

しかし、イスラエルの成功を語るに国防軍だけを語っても話は完結しない。徴兵制の軍隊を中核とするイスラエルの「エコシステム」を成功の秘訣とするならば、男性のみとはいえ徴兵制を採用する韓国やシンガポールでもイスラエル並みのイノベーションが起こるはずだが、実際はそうなっていない。そこで文化的側面に立ち入っていく必要がある。

米国の政治学者ウォルター・ラッセル・ミードは、英国がなぜ資本主義に成功して大帝国を築けたかについて、開放経済モデルを採用したオランダの成功例を模倣したこと、大西洋が繁栄した時代に、大西洋に面した最前線の島国として地理的に幸運な位置にあったことなどに触れつつ、アングロ・サクソンの文化的伝統もその理由として挙げている。

アングロ・サクソンには闘いを好む文化があり、それを一定のルールの中で実現したものとして、(イギリス人が創始した)サッカー、ラグビー、テニス、ゴルフなどのスポーツがあると言う。また、競争の混沌を通じた進歩への信奉として、アダム・スミスが唱えた「神の見えざる手」という考え方、さらに、成文憲法の整然とした法解釈ではなく、慣習・先例の蓄積をもって法体系とする「コモン・ロー」についても言及している。

一定のルールの中での闘いと言えば、議会制民主主義も、棍棒《こんぼう》を投票箱に差し替えた闘いであると言われる。ブレグジットをめぐって混乱してきた英国議会も、闘いのイメージを彷彿させる(なお、オランダ人に言わせれば、ゴルフは英国起源のスポーツではなく、オランダの「コルフ」という棒で球を打つスポーツが、オランダと同様に新教〔プロテスタント〕を信奉していたスコットランドに伝わって、ゴルフとして大成したのだという)。

†起業家とイノベーションを支える四つの文化的特質

前中央銀行副総裁のナディン・ボド＝トラフテンベルグ女史は、極めて博識な健啖家《けんたんか》である。彼女に初めて会いに行った際に、イスラエル人が起業やイノベーションに向いている要素として四つのキーワードを教えてくれた。それが、「高いリスクを許容して取っていく精神（ハイ・リスク・テーカー）」「階層のない社会（ノー・ヒエラルキー）」「失礼千万（イムポライト）」「短気（イムペイシャント）」である。

†①高いリスクを許容して取っていく精神（ハイ・リスク・テーカー）

イスラエル人はリスクを取ることを奨励される。失敗は許容され、逆に失敗していない人間は信用されないという。限度はあろうもので、大失敗して夜逃げした人もいるようだが、それでもイスラエル人の精神といえば、「まずダメもとでやってみよう。ダメならそこで撤退すればいい。精密に考え過ぎて慎重になり何もしないのでは成功も生まれない」というものである。実際には、過去に失敗してその経験から十分学んでいる人物のアイデアを採用するということは、ざらにあるようである。ちなみに、二〇一一～一八年に設立されたスタートアップ企業五三一三社のうち四五%がすでに廃業か活動停止していると報じられている。

そうした精神的な特徴はなぜ生まれたのだろうか。社会的・歴史的にユダヤ人は常に不安定な状況に置かれてきた中で、リスクを取ってでも活路を開かざるを得ず、それを家族や親族が互いに支え合うのが規範となっていたのではないかという説明が可能だ。

宗教的な説明もできる。イスラエルにおける日本学の碩学《せきがく》ベン＝アミー・シロニー教授によれば、「罪と罰」の考え方に支配されるキリスト教と違い、ユダヤ教には原罪意識はなく、人間が正しい行動を取っているのであれば、神はそれに褒美を与えるはずであるという楽観論がいつもある。

したがって、ある行動が正しければ、それは成功するはずであり、そこにリスクはない。ただし、実際にはそれが裏目に出たこともある。一九三九年にナチス・ドイツ軍がポーランドに侵攻した際、ユダヤ人社会は残留するか逃げ出すべきかの選択に迫られたが、ラビたちは、自分たちの行動が正しければ危害を加えられないだろうと思い残留を選び、ホロコーストの憂き目に遭った。

②階層のない社会（ノー・ヒエラルキー）

イスラエルはフラットな社会であり、この国ほど忖度《そんたく》という言葉が似合わない国はない。発言は直截的過ぎるほど直截的。目上だろうが関係なく、オブラートに包まずにガンガン発言するので、最初は面食らうこともある。イスラエルの大学では、日本人やアジア人の留学生はあまり発言しないのが相場だが、我々から見たらよく発言する欧米人留学生もあまり目立たないほど、教授に楯つくのはもっぱらイスラエル人学生だという。

軍の中でも上官に対して下の者が怯《ひる》むことなく意見する。だからイスラエルにおいて将官を務めるのは本当に大変なことだという。それでもイスラエル軍は、一九七三年の第四次中東戦争で伝説的な情勢分析の誤りを犯した。サダト・エジプト大統領の奇襲を見抜けず完全に泡を食い一時総崩れになりかけたことが今でもトラウマとなっており、情勢分析では必ず反対意見を述べる部署を創設した。

その名は「イプシャ・ミスタブラ」（アラム語起源の言葉で、「反対意見に理あり」というような語意）といい、英語で言うDevil's advocate（反論者）に相当する言葉である。このやり方が役に立ったのは、二〇〇七年のシリア原子炉空爆に至る過程である。

二〇〇三年の英米によるリビアのカダフィ指導者の懐柔《かいじゅう》工作を全く探知できなかったことにショックを受けたモサド（イスラエルの対外情報機関）が情報をレビューしたときに、シリアにおける原子炉の存在の可能性が浮かび上がった。大勢は懐疑的だったのに対し、モサドの若手分析官が原子炉の存在を主張する反対意見のペーパーを書き、それに基づいた内偵で原子炉の存在の確証を得たとしてイスラエル空軍が爆撃をした。

ちなみに、空爆実施後、イスラエルはこの件を一〇年間秘匿《ひとく》し、シリアのアサド政権も空爆された事実に言及しなかった。シリアが原子炉を建設していたのはシリア東部のデリゾールという町で、後にその残虐性で世界を震撼させたISの根拠となった場所である。もし予定通りに建設が進み、その後のシリア内戦の混乱に乗じてISが原子炉を占拠していたら……。

この「イプシャ・ミスタブラ」の伝統は、王とユダヤの民に苦言を届けてきた預言者の伝統を彷彿させるところがある。

†議論を尽くす文化

イスラエルのイノベーションや強さの背景には、ユダヤ教の、議論をしながら集団で教義を学習していくという伝統がある。そもそも、ヘブライ語聖典（旧約聖書）の中でも、人間が神に食ってかかったり、あるいは神と交渉したりする場面が出てくる。しかし、議論の重要性はタルムードにおいて顕著だという。

タルムードは聖典の解釈が口伝伝承されてきたものが文書に集大成されたものである。各時代にその時代のあらゆる問題を解決するために、聖典が原則しか示さない点をその時代に即して規定したりするだけでなく、それまで有効だった教えが、将来の賢者により変更され改定されることの保障も導き出されている。聖書が、神の人間への期待を示しているのに対し、タルムードではある具体的な行動の是非が、対話と問答の形で議論されている。前者では「十戒」の部分で英語では shall という単語が使われているのに対し、後者では should が使用されているという。

ユダヤ教への改宗を希望して講習を受けている若いドイツ人女性と、私はイスラエルで会ったことがある。国際政治に興味を持ち、私が頼まれてある大学で行ったアジアと日本についての講義を聴きに来ていた。両親はドイツの敬虔《けいけん》なカトリック教徒であるにもかかわらず、彼女は何か魅かれるところがあったのか、一度イスラエルに来たときに、ここは自分の属する地であると思い、改宗と移住の決意を固め、両親と長い間話し合って、そのことを認めてもらった。将来はユダヤ人と結婚してユダヤ人の子供をもうけ、イスラエルの国にも尽くしたいという。

彼女は、ユダヤ教の「同等の立場で議論する慣習」が魅力だと述べていた。それに比べれば、キリスト教（カトリック）は上意下達《じょういかたつ》の文化であり、その違いが新鮮だったという。

ユダヤ教では、超正統派の人たちが日常生活を営むにあたり、自分より叡智がある人物を信奉することはあるが、叡智のあるラビは方々にいるので絶対的権威ではなく、またラビ同士も議論を重ねるという。そして、そのラビにしても、日常生活についてアドバイスをすることが役割であり、選挙における投票活動を指示したりというような上意下達の動きは難しい。

シュエフタン教授は、イスラエル軍を、「正規の軍隊というよりも、民兵と青年団の混ざったもの」と表現する。群雄割拠というわけではないが、各現場では若いリーダーの兵士に大きな権限が与えられており、本部や上層部の意向に必ずしも従わない（あるいは伝わってこない）。この文化があるが故に、イスラエルでの要人訪問の準備は困難を極めるのだが、もともとイスラエル軍自体がゲリラ部隊を改組したものなので兵士も民兵的なDNAを持っている。

ちなみに、このシュエフタン教授は、先ほどイスラエル軍の特徴として挙げた「ノー・ヒエラルキー」「イムポライト」「イムペイシャント」という言葉で示されるような、雑草のような強靭性を具現化したような人である。すでに七〇代も半ばであるが、覇気旺盛、歯に衣着せぬ率直な物言い、歴代首相に対しても罵詈雑言《ばりぞうごん》を浴びせかける独立不羈《どくりつふき》の精神をもっている。そして、知的不誠実者には容赦なく嵐のような非難を浴びせかける。さらにアラブをよく知った上でアラブ（とユダヤ教超正統派）に手厳しい。

専門は中東政治であり、ガザからのイスラエルの一方的撤退の主唱者だが、イスラエルではほぼ唯一と言っていいほどインド太平洋情勢を踏まえた戦略的議論ができる人だった。九歳で、学校がくだらないとして親と交渉として退学し、二二歳まで本の一冊も読まなかったが、二七歳で最初の著書を出版した。

あまりの反骨者ぶりに、さすがのイスラエル軍も出世はさせなかったようだ。それでも歴代の首相や参謀総長がアドバイスを求めに来るが、金銭的関係や職階的上下関係に入ることを良しとせず、公職には一切就かない主義であるという。子供には、「親に反逆しろ。親に反抗するのが子供の仕事であり、子供に説得されて納得できるのが親の最高の幸せだ」と説いて育ててきた。次女は日本の焼き物に凝っている。日本でも自説を文字通り吠えまくったが、それでいて来日前には、日本で会う人にどのようなお土産が喜ばれるか、しっかり聞いてくることができる人である。

†③失礼千万（イムポライト）

先に紹介した「フッパ」というヘブライ語に加え「バラガン」（混沌。イスラエル社会の秩序のない状況を表す）という言葉を覚えておけば、イスラエル人との会話はずいぶん弾むし、「おっ、イスラエルを知っているな」と思われるようになる。

ヒエラルキーを無視し、権威に食ってかかることはこの国では善である。それは社会秩序を否定する失礼千万な態度となる。しかし、イノベーションとは過去のパターンとは非連続線上にあるものであり、過去の否定でもありさえする。したがって権威に従順な態度はイノベーションにとって有害であり、今までの延長線上のことを馬鹿にしてナメてかかるくらいの傲岸不遜さが必要だということになる。

†④短気（イムペイシャント）

イスラエル人はものすごく短気である。それが端的に出るのが車の運転だ。これはひどいの一言である。信号が変わる前から、後ろのイスラエル人が運転する車がクラクションを鳴らしてくる。車をぶつけるように横入りしてくるし、道は絶対に譲らない。毎朝の通勤にイライラさせられ、思わず礼節の日本人であるべきを忘れ、野卑な言葉を口走りそうになることもしばしばだった。あるイスラエル滞在歴の長い外国人に言わせれば、イスラエル人の運転哲学を一言で表現すると、「俺はやりたいように運転する。お前が気をつけろ（I don't care, you care.）」というもの。

ビジネスでも、彼らのやり方は単刀直入である。日本企業関係者がイスラエル企業を訪問すると、「お前はいくらお金を持っているか？」「お前は意思決定者か？」と矢継ぎ早に聞かれるという。しかし、このいつもイライラして不満を囲って我慢できない性格が、イノベーションには向いているのだろう。

†「非順応」という態度の決定的重要性

しかし、それにしてもイスラエル人が自慢する、「規格外の考え方（out of the box thinking）」という創造性への自信はどこからきているのだろうか。ちなみに、ノーベル賞受賞者の国別比較は、二〇一九年までで日本人（五〇歳前後に米国籍を取得した南部陽一郎氏、中村修二氏を含む）は二七名（物理賞一一名、化学賞八名、生理学医学賞五名、文学賞二名、平和賞一名。そのうち二〇〇一年以降で一八名）に比べて、イスラエルは一一名である。また、二〇一七年までの全ノーベル賞受賞者九〇二名のうち約二〇〇名はユダヤ系によるものとも言われている。

この問いに答えるヒントを教えてくれたのはシロニー先生だった。教授の著書『ユダヤ人と日本人の不思議な関係』によれば、ユダヤ教徒にとって、離散からの二〇〇〇年は、迫害によって命を落とす者、迫害あるいは経済的・政治的な理由によってキリスト教やイスラム教へと改宗していく者が相次ぐ中、ユダヤ教の信仰を命をかけて守る戦いの歴史であった。「ユダヤ人が民族として、また宗教集団として生き残れるかどうかは、多数派と異なる信仰や行動規範に執着するだけの勇気があるかどうかに懸っていた」。社会で受け入れられた真理、権威、慣習や価値観に異を唱え、大勢に従わないという「非順応」の精神と執着心がなければ、彼らは死滅していた。国を失い迫害されて消滅した民族は歴史上多くあろう。その中でユダヤ民族及び宗教は生き延びたのである。

ボド＝トラフテンベルグ女史によれば、最後のユダヤ王国をローマ帝国が滅ぼした時のユダヤ人の人口は五二〇万人だった。それが紀元七世紀頃には一〇〇万人を切った。マサダの砦での戦いが全滅に終わり、その後は死亡、棄教、改宗者が相次いだ。二〇世紀初頭には一六〇〇万人に増えたが、ホロコーストを経て九〇〇〇万人にまで落ち込んだ（現在は一四〇〇万人まで回復している）。

宗教的、民族的独自性を保つための反骨精神は、イノベーションに通じている。高みに上って言えば、「将来の救済を信じ」「来るべき平和と正義の世界においては自分たちこそがその精神的指導者となるのだという信仰に勇気づけられ」「人類の救済を達成するために新たな道筋を模索する」という彼らの哲学的態度が、人権運動、社会主義、共産主義という理想主義運動も生んでいった。その態度が、大勢への順応ではなく真理の追求を後押しし、人間社会をより良いものにしたいという方向に人を駆り立てているのではないかと思う。

世界の社会主義・共産主義運動に甚大な影響を与えたカール・マルクスがラビの家系であることは偶然ではない。

†「理論的な議論」を培った宗教的伝統

もう一つ、シロニー先生の本を読んでいて気付いたのが、前述のユダヤ教の伝統における「理論的な議論」という長い伝統の存在である。ユダヤ教徒のあいだでは、神聖な文書を読み、それを学ぶことが極めて重要視され、それを若者に伝えることが宗教上の義務とされた。学校で教えられる文章はどれも難解で、ユダヤ人はそうした文章を幼少期から学び、暗記して、それについて難しい議論をすることで自らを訓練していった。こうした集中的な分析や抽象的な議論に執着しておいたおかげで、後に世俗的な課題に意識を向ける際にも、ユダヤ人は抽象思考や妥協のない議論に秀でることができた、と教授は著書で述べている。

なお『ユダヤの世紀』(Yuri Slezkine, *The Jewish Century*、未訳)という著作によれば、ユダヤ人は、たとえばゾロアスター教徒などの他の少数民族と同様、民族の独自性を維持するために、長く「自主隔離」して集団で住み、集団内で結婚していた。彼らにとって外部との結婚は宗教性・民族性を薄める脅威であった。近代になり、フランスで自由、権利の平等と社会的差別の禁止を唱えた人権宣言が発出されて国民国家が欧州で成立するに至り、宗教性ではなく国民性が問われる時代となり、彼らはユダヤ教の信仰を維持しながら社会参加するようになった。

その結果としてユダヤ系の人たちが急速に社会の中上流層に食い込んでいくに至った。

たとえば、一九世紀末のウィーンでは、人口の四%しかいないユダヤ人が医者の六二%、医学部教授の四五%を占めていたという。しかし、このような急激な作用は反作用を生み、最終的にはナチスによるユダヤ人の集団抹殺という狂気へとつながっていった。一方で、一部の合理主義的なユダヤ人は、民族や宗教の軛《くびき》から逃れ、真の人間としての平等を得るために、共産主義に傾倒していった。旧ソ連の指導者層のうちユダヤ人の比率はとても高かったという。スターリンに暗殺されたトロツキーもその一人である。

†「二〇〇〇年の比較優位」の消失

ボド=トラフテンベルグ女史によれば、約二〇〇〇年前にエルサレム第二神殿が破壊され離散(ディアスポラ)が始まったとき、全てのユダヤ人の(男性)子弟は、ユダヤ教の諸書を読み信仰を守るように預言者によって指示された。ナポレオンが義務教育を導入するまで、キリスト教世界でもイスラム教世界でも満足に読み書きができる集団はユダヤ人のみだった。特にイスラム世界は、スペインからアラビア半島までという広大な経済圏を生みだしたが、域内での商業の発達のために必要な契約書を書くことができるのはユダヤ人だけだった。またユダヤ人には長年にわたり実質的に義務教育があり、その比較優位は二〇〇〇年間も続いてきたという。

ユダヤ人のディアスポラは、主に欧州へ、またその派生としてアメリカ大陸、ロシア、アフリカ、西アジアに向かっていった。二〇〇〇年の比較優位は、識字率であり論理的思考であり、そして土地のネットワークであった。しかし、日本が先鞭をつけ、中国がその巨大な姿を現し、インドがその底力を発現しようとしている現在、インド太平洋に世界経済の重心は移動してきている。そこはユダヤ民族にとっては足場があまりないアウェーの場所である。また、世界中で識字率が向上し、特にアジア地域のそれは世界でトップレベルになった。土地勘がなく、今や識字率という優位性もないユダヤ民族にとって、比較優位が失われつつある新たな時代が始まっている。

第三章

イスラエルが抱えるリスクとは?

イスラエル国防軍の兵士たち(ⓒイスラエル国防軍)

1　順境を享受する社会

†この国は、しばらく「買い」

この国は、これからしばらくは「買い」だと思う。独立前から営々と築き上げてきた社会システムは強固に根を張っている。一般治安は概して良く、一部の地域を除いては、そして時折の警報を除いては安心した市民生活ができる。民主主義が機能し、「法の支配」も今までのところ保たれており、さらに水資源が高いレベルで活用され「緑の革命」を実現させている。

一度はデノミをするまで追い込まれた経済も、市場経済に舵を切って以来マクロ的な健全性が確保され、独創的な技術力を高めて「スタートアップ・ネーション」として開花し、その競争力への信任から海外からの投資も流れ込み、拠点や研究所の設立も相次いでいる。

さらに、高い出生率を背景に健全な人口ピラミッドを有し、子供中心に社会が回っており、ユダヤ教の伝統に従って安息日の金曜日の夜には家族が毎週集まり食事を共にするな

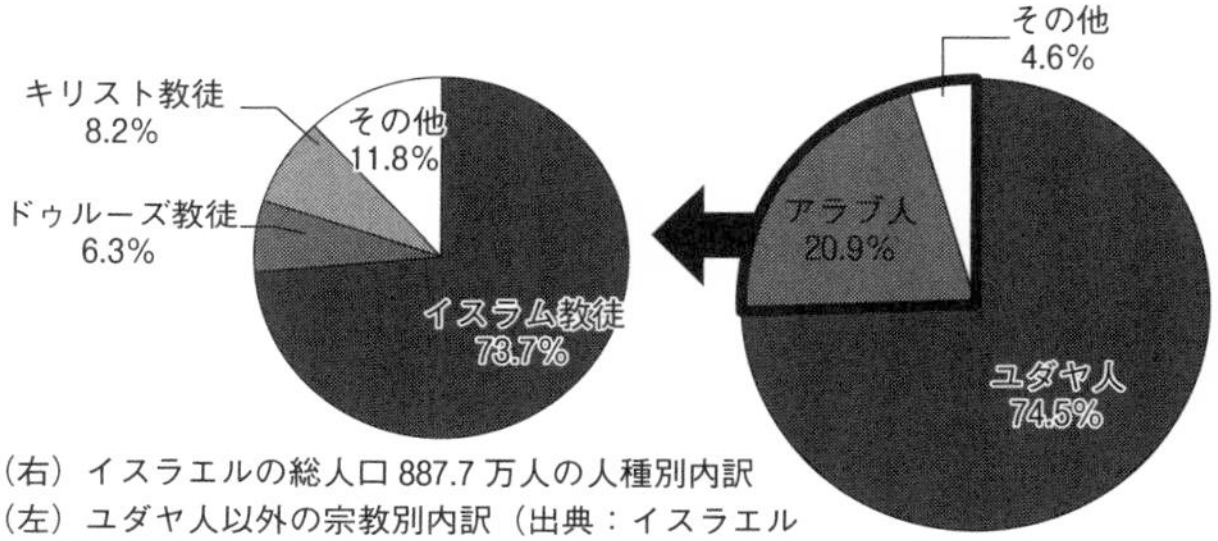

（右）イスラエルの総人口 887.7 万人の人種別内訳
（左）ユダヤ人以外の宗教別内訳（出典：イスラエル中央統計局）。

ど、社会の基礎単位として家族を大切にする傾向が強い（アラブ系の家族にしてもそうである）。もちろん色々な問題もあるが、打つべき手は打っており、将来への楽観的な明るさに溢れる社会はダイナミックに機能しているという印象である。

この「わが世の春」を謳歌するイスラエルに長期的にリスクがあるとすれば、どのようなものだろうか。①多産の超正統派が人口構成でより大きな割合を占めるようになるのはほぼ間違いない。これまでもイスラエルの政治体制に既に影響を与えているが、更に深刻な影響をもたらすだろう。②また、ユダヤ人のディアスポラのうち、啓蒙主義の洗礼を受け、欧州から帰りたての人たちが国造りをリードした時代は終わり、政治と社会は中東化しつつある。③さらに、イスラエルの生存にとって「平和」が最適解なのかという問題もある。以下、各々について見ていきたい。

2　人口構成上のリスク

†アラブ系の人口比率は増加しない

現在、アラブ系の出生率は落ちてきている一方、超正統派のそれは高いままである。二〇一九年に九〇〇〇万人にまで達したイスラエルの人口のうち、アラブ系は約二〇％である。そのアラブ系人口のうち四分の三を占めるイスラム教徒の出生率は三・二九と、ユダヤ系とほぼ拮抗するまで下がってきている。アラブ系人口の一割弱を占めるキリスト教徒、六〜七％を占めるドゥルーズ教徒に至っては、出生率が各々二・〇五、二・二一とユダヤ系の出生率を大幅に下回る水準にまで低下している。二〇六五年の人口予想では総人口二〇〇〇万人のうちアラブ系の占める割合は今とほぼ変わらない。

一方、超正統派ユダヤ人の出生率は、全ユダヤ人の出生率三・一一（二〇一七年）を大幅に上回る六の半ばであるという。現在は総人口の約一割しかいないが、二〇六五年には人口の約三割になる。現在総人口の約七割を占める世俗派及び超正統派とは分類されないが宗教的な人たちの人口は、二〇六五年には半分を切るだろうと予想されている。

†現代イスラエルの建国を認めなかったユダヤ教超正統派

超正統派ユダヤ人は、神のみが人間を救済するという考えから、現代イスラエルが建国される時に建国事業に参画しなかった。初代首相ベン゠グリオンは、その超正統派の協力を得るために、彼らの権利を保障した。それにより、超正統派は軍隊への徴兵の義務を免除され、またイスラエルで宗教的権威を独占している。

たとえば、婚姻は超正統派のラビのみが公認できる。もし外国人とユダヤ人が結婚したいとしてもラビはそれを認めないので、当該ユダヤ人は一番近い隣国のキプロスに飛行機で行って結婚して役所に届け、その証明をもってイスラエルの役所にも届けるという形をとっている(各々の宗派内でのルールに従い、たとえばアラブ系キリスト教徒は教会で結婚式を行う)。

また、超正統派は普通の学校とは別個の宗教学校を運営している。超正統派の男性の仕事は律法(トーラー)を読むことであり、一日中律法を読んでいる。一八歳になっても徴兵に応じる必要はない。ラビに指名された相手と結婚し家庭生活を営む。夫は職業に就かないので、生活を支えるのは妻となるが、多産であることが多く、生活保護を受けとれるようになっている。

この超正統派は、大別して欧州出自と中東出自の二つに分かれるが、選挙における投票率は高く、クネセト（一院制議会）一二〇議席のうち、両系統合わせて一〇〜一五議席程を安定的に獲得して議会でキャスティング・ボートを握り、実際の議席比率とは比べものにならない大きな影響力を行使してきた。

たとえば、超正統派が信奉する教義では、安息日（シャバット）には、火をつける、ボタンを押すということも含めて一切の労働が禁じられ、鉄道やバスなどの公共機関は動かせないことになっている。したがって安息日には日の入り前にバスがなくなってしまうから、大使館でも現地職員についてのみ金曜日の就業時間は通常の午後五時ではなく午後三時までと定められている。また、ホテルのエレベーターも三基あれば二基は休止し、動いている一基もボタンを押さなくてすむように各階に停止し自動に開閉するようになっている。

†超正統派の伸長勢力はイスラエルをどこに導くのか

二〇六五年には、超正統派ユダヤ人がイスラエルの人口の三割を占めると推定されている。そうなると議会では、三分の一の四〇議席を占めてもおかしくない。その時、イスラエルの国家としての性格、国体が宗教国家の色をだんだん濃くしていくことが推測し得る。その時になっても彼らが徴兵を拒否できるのならば、国の防衛負担の不公平感は社会が堪えられないほどに増大するに違いない。世俗的な人たちが多いロシア系移民を支持層としたリーベルマン元国防大臣は、このことに強い不満をもちネタニヤフ政権から飛び出し、二〇一九年四月の総選挙後の連立交渉もぶっ潰した。政争の口実だったと言えばそれまでかもしれないが、この問題について年々社会の軋《きし》みは増している。

他方で、このSNSの時代に、ラビは自分の信者たちに、反宗教的なものが映らないように設定されたスマートフォンを支給しているそうだが、超正統派のコミュニティが、果たしてこれからも社会の中でそうした自己隔離を維持できるだろうか。実際、超正統派の中でも女性の生活スタイルは徐々に変わりつつあるという。

ガリレオの地動説を断罪したカトリック教会のように、宗教は科学及び合理的・啓蒙的思考と対立し得る。イノベーションは独創的な思考から生まれ、そのような思考はまた、宗教的な権威からの自由が「保障」された環境から生起してくるとすれば、イスラエルに

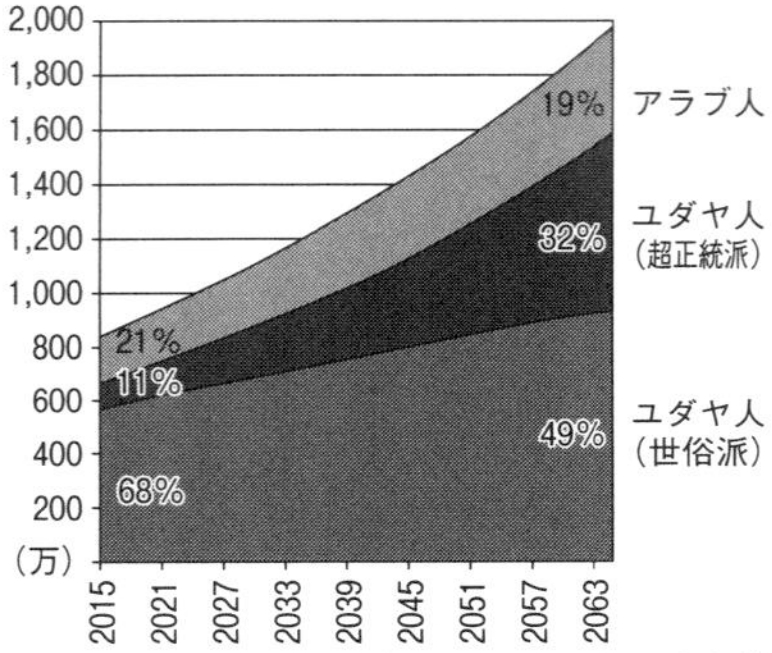

イスラエルの人口推計（出典：イスラエル中央統計局）

おける超正統派の勢力伸長は、イスラエル国家の将来性にも少なからず影響を与えるおそれがある。

超正統派はエルサレムのみならずその他の地域にも集合して住んでいる。最大の集住地区であるブナイ・ブラクというテルアビブ近郊の町を、私は一度訪問したことがある。二〇世紀のイスラエルが未だ豊かでなかった時に建築された古い街並みである。町全体が黒装束の服を着た人たちで満たされ、子供の姿もやたらと目につく。おもしろいことに、意識調査の結果では、世俗派の回答者に比べて超正統派の若者の方が総じて精神生活が安定し、満足感も高いということであった。

3　中東的素性の顕現というリスク

†ヨーロッパとも少し違うイスラエル

外国からイスラエルに到着すると、ベン＝グリオン空港では荒々しい白タクの客引きが待っている。車を運転すると、イスラエル人の運転の乱暴さに毎日腹を立てるようになる。前の赴任地であった英国にもときどき粗暴なタクシー運転手はいたものの、皆それこそジェントルマン、ジェントルウーマンで、街中で追い越そうものなら優しく注意されたものだった。高速道路での路側帯《ろそくたい》走行は日本では見かける光景だが、英国の高速道路を運転していてもあまり見かけることはなかった。

英国人に「英国の運転マナーは日本より良い」と伝えると、「それは嘘だろう」との反応が返ってくるが、英国がもつルール遵守の譲り合いの精神は素晴らしいと思う。まあ、英国あたりは欧州でも最高レベルのマナーで、ヨーロッパも南に下がるにつれて運転マナーが悪くなっていくが、それでもイスラエルのそれは感覚的にはそのボトムにある。

ただ、良心を持った人はいるもので、一度、妻が車を運転していて駐車場で車を停めようとした際、老夫婦に順番を譲ったところ、その老夫婦が車から出てきて、妻に対し、「あなたのマナーは素晴らしい、一体どこの国から来られたのか」と声をかけてきたこともあった。妻が「日本から」と答えると、「さすが日本人だ」と大きくうなずいていたらしい。

イスラエル人も自分たちの国のことが気になるらしく、「イスラエルってどんな印象なの?」とよく聞かれた。ある時にシンクタンクに所属するある女性から印象を聞かれたので、「この中東の地域の国としては抜きん出ているね」と返したところ、とても侮辱してしまったらしく、「え、イスラエルは周辺の国と仲が悪い陸の孤島で、意識は欧州の一部なのよ」と不満そうだった。

†「法の支配」

法の支配——すなわち「何者も法の矩《のり》を超えない、法の下では平等である」という概念は欧米文明の中核である。フランシス・フクヤマによればもともと「神の前での平等」という形で、人間界に超越する神の存在を認める一神教やヒンドゥー教の世界に存在するが、それは欧米文明において発展し、昇華され、現在の国際社会に大きな影響を与えている概念であるというのが正当だろう。

イスラエルでは、この「法の支配」が今問われている。ネタニヤフ首相は、二〇一九年一一月に三件の汚職容疑で起訴されたが、逮捕・収監を避けるために首相の地位に留まることを追求している（イスラエルでは閣僚は逮捕され得るが、首相の座にいれば逮捕されない）。これまでもネタニヤフ首相は、現職議員の不逮捕特権を規定する（復活させる）立法を通すことを要求し、それを自分の件についても遡及させようとしていた。現職議員の不逮捕特権については色々な考えがあるが、法律を過去に遡及適用させるというのは、一線を越えたものとの議論は多くされていた。結局立法は成立せず、ネタニヤフ首相は起訴された。しかも彼を起訴したのは、ネタニヤフ首相自身が首相府首席補佐官、さらに検事総長にまで抜擢した人物であったというのもイスラエル的である。

†司法積極主義の功罪

イスラエルには現在、司法判断を制限しようとする立法への動きがある。一つのアイデアとされているのが、最高裁が議会の立法などに対して違憲判決を積極的に出すのは立法権の侵害であるという観点から、議会の立法に対し最高裁が違憲判決を出した後で、議会がその法律を再可決した場合には最高裁は審理しないという法案である。

これが妥当か否かについては、いくつもの観点から考えなければならない。一方で、この国の最高裁は司法積極主義の立場をとり、最高裁判事が具体的案件を積極的に判断し、国政に「介入」しているように見える。裁判官は国民から選ばれたわけでなく職業上の独立を与えられている特別な人たちであるから、裁判官がその権限を抑制的に行使することが、持続的、安定的な司法権と三権分立に資するという考え方は一理ある。

他方で、この国には成文憲法がなく、十数本の基本法から最高法規が成り立っているが、それは一院制の議会の単純多数決で成立する。たとえば、二〇一八年夏に成立した「ユダヤ国家法」は基本法の一部であるとされながら、議会の単純多数決で成立している。アレクシス・トクヴィルの言う「多数者の専制」に漂流していきやすい構造のように見える。したがって、裁判所のような政治的中立機関の判断をかませることが政治の安定には必要だという考え方もある。なお、憲法が制定できていない背景の一つとしては、超正統派が、聖典に勝る最高権威は不要であるとの観点から、憲法制定に反対してきたことがある。

また、最高裁判事の任命も一つの争点となっている。最高裁は、今までイスラエルの法曹界から選ばれていたが、左寄りのリベラルな判事が多いとの批判が多かった。そこでネタニヤフ政権下でシャケッド司法大臣（当時）を中心に司法改革が進められ、現在は、任命委員会の一部に議会議員が入るなど、政治が限定的に関与できるようになった。これを完全に政治が任命する形に持っていきたいという向きに対しては、最高裁の政治化の危険について警鐘が鳴らされている。

イスラエル人の多事争論的性格、欧州出身者が社会を引っ張ってきた伝統などから、今までは、「司法権の独立」が高度に護られ、「法の支配」がしっかりしてきたこの国だが、最近では、民主主義の下で権威主義化するトルコのエルドアン大統領をもじった「エルドアナイゼーション」という言葉を散見するようになっている。

4 「平和」のリスク

†「生存の危機」の時代は終わった

イスラエルにとって、生存への脅威に怯えつつ生きる時代は終わった。一九七八年のエジプトとの平和条約、一九九四年のヨルダンとの平和条約でアラブの一枚岩は崩れ、南と東の国境線の大半が安定的境界となった。

また、二〇〇〇年代初頭の第二次インティファーダのピークだった二〇〇二年三月には、月に一五〇人が自爆テロなどで死んだ。その頃はイスラエル人をレストランに誘っても、テロに遭うのが怖いと言って来なかったというが、今では信じられない過去の話である。テロも少なくなり、イスラエル本土はほとんどの地域で一般治安は安定している。

来訪する出張者ほぼ全員が少し肩に力が入って来るが、夜中に肩を露出して颯爽と歩く女性の姿や、バー周辺で道に溢れて飲んでいる人たちの光景を見て、そのリラックスした街の雰囲気に拍子抜けする。

†一方でまだ平和は近くなったとは言えない

今のイスラエルには、依然として北と南に脅威がある。北側は、イランやその影響下にあるヒズボラと対峙している。イスラエルは一九九一年の第一次湾岸戦争時にサダム・フセインにミサイルを撃ち込まれ、化学兵器に怯えてガスマスクを持った市民が立ち往生したという苦い経験がある。したがって、低層迎撃はアイアンドーム、中層迎撃はディビッド・スリング・ミサイル、高層迎撃はアロー・ミサイルという三層構造の対ミサイル防衛システムを装備しており、これにより防空能力が格段に向上してきている。

そして無駄を避けるために、このミサイルシステムは、人が住んでいるところに飛んでくるミサイルのみを迎撃し、海や無人の荒野に飛んでいくミサイルは識別の上迎撃しないようになっている。しかし、それはあくまでも限定的な攻撃に対しての能力であり、レバノンにいるヒズボラが、もし保有する十数万発のロケットをほぼ同時にイスラエルに撃ち込む決断をすれば、ミサイル迎撃能力が飽和させられてしまうという意味で、イスラエルは喉元に刀を突きつけられている。

もちろん、イスラエルもヒズボラに壊滅的打撃を与える攻撃能力は有しているので、イスラエル・ヒズボラ双方ともうっかり手が出せる状況になく、すでに十数年間、平和は続いている。

ガザ地区からの攻撃を迎撃するアイアンドーム（2012年11月14日）

このような状況で、ヒズボラが保有するロケットやミサイルの精密誘導化に成功すれば、海や荒野に外れるミサイルの数は大幅に減り、人口密集地に飛来するミサイルが飛躍的に増加する。そうすると、防空システムへの負担が顕著に増加し、ヒズボラのミサイルを迎撃することは難しくなる。イスラエルはこれを恐れており、このような事態が実現してしまわないように血眼《ちまなこ》になっている。

†イラン神政体制との戦い

ところがイスラエルにとって、今はもう一つ重大な挑戦者が登場している。それはシリアで勢力を張り、イスラエルの方向に勢力を伸長しつつあるイランである。

イランが現在の神政体制になったのは一九七九年である。これは近代史上初めてのイスラム革命であり、同じ年にはサウジアラビアにあるイスラム教の聖地メッカのカーバ神殿がイスラム主義者により占拠された。イランの新体制はイスラエルを敵視してその壊滅を誓った。

その後、イランはイラクとの戦争（一九八〇〜八八年）などの苦難を乗り越えて、二〇〇三年のイラク戦争、二〇一〇年以降のいわゆる「アラブの春」の主たる受益者として勢力を拡張してきた。一九七九年の革命までは、イランとイスラエルは非常に親しくしてきたが、革命後は一転し、イスラエルはイランの現体制を主要な敵対者として見ている。しかし、イスラエル人はイラン民族を尊敬しており、シュエフタン教授は、「イランは、現体制でさえなければ、中東に残された最良の希望の星である」とまで言っている。

シリア内戦がアサド政権側の勝利に終わり、ゴラン高原にシリア政府軍が再び歩を進めてきた。ゴラン高原はそれこそ高原側からイスラエル北方を見下ろす戦略上の要衝である。一九六七年にゴラン高原の西半分を占領したイスラエルは、同時に占領したヨルダン川西岸地区の扱いと異なり、早期にゴラン高原を国土に併合している（米国は二〇一九年三月にゴラン高原がイスラエルの一部であることを認める声明を発表している）。

イラン、ヒズボラ、ハマスの勢力図

このような状況下でイスラエルの最大かつ喫緊の問題は、ヒズボラのようにイスラエルを脅迫する能力を、シリア内でイランに持たせないことである。そのため、シリア内でのイランの拠点化の徴候を見つけてはそれを空爆しており、既に数百回以上攻撃したと公に認めている。その中でも二〇一八年五月九日未明の攻撃は、「イラン側の挑発を受け」、イスラエル空軍がシリア国内のイラン拠点五〇カ所以上を集中的かつ同時に爆撃したものであり、イランは為すすべなく被害を出し、彼我の実力差があり過ぎることが露呈した。その後もイラン側の拠点を見つけては空爆するというイタチごっこは続いており、イランがそれに反応するので、緊張が和らぐことはない。

現在イスラエルは、イランの活動資金という元栓を米国主導の経済制裁で徹底的に絞ることを重視している。それに並行して、シリアに拠を構えるロシアと渡りをつけたいとも思っている。その目的の一つには、イスラエルの航空作戦を黙認させてイラン勢力のモグラ叩きを継続すること、今一つには、ロシアと共同戦線を張り、イランをシリアから追い出すことである。

†ロシア、アメリカとの関係

ロシアは、イスラエルにとって新たな難題である。イスラエル軍は強いからシリアでロシア軍と本気で戦って勝てる自信はあるだろう。しかしロシアの物量、戦略的縦深《じゅうしん》性、国際社会における影響力を考えれば、直接戦火を交えるわけにはいかない。一時《ひととき》だけロシア軍をノックアウトすることができたとしても、ナポレオンやヒトラーさえも最終的に屈した戦略的縦深性をもつ大国ロシアを本当に敵に回して、イスラエル軍は戦い抜けないだろう。

そうであればロシアと渡りをつけるしかない。そういう思いでネタニヤフ首相はモスクワ詣《もう》でをしてきた。イスラエル有識者によれば、ロシアは中東人にとって二つの重要な資質を持っている。一つめは「無慈悲な非人道的作戦に平然と手を染めること」、二つめは「約束は絶対守ること」。アメリカはその二つとも持っていない。

✝最大の悪夢

イスラエルにとっての最大の戦略的悪夢は、イランが核能力を有し、飛び道具につけて中長距離を飛ばせるようになることである。もしイランが核開発の方向に進めば、イスラエルは軍事作戦も俎上に載せてくるだろう。そのためにギリシャやキプロスとの関係を強化し、東地中海上空で爆撃機の長距離爆撃能力を獲得するための訓練も実施しているようである。

また、「遠交近攻」よろしく、イスラエルから見てイランの背後にあるカスピ海畔のイスラム教国アゼルバイジャンとの関係も深めている。アゼルバイジャンの参謀総長がイスラエルを訪問しているのも関係緊密化の表われであり、イスラム教（シーア派）の国から参謀総長を迎えることの象徴性は明らかである。

二〇一九年一月に、モサドの工作員がイランのテヘランのとある核開発関係資料が隠されていた倉庫に侵入し、一晩かけて大量のファイルを盗み、翌朝明け方に逃げ去った。これは同年四月にネタニヤフ首相自らが「イランは嘘をついた（Iran Lied.）」と大書された大型スクリーンの前で発表したものである。新聞報道によれば、二手に分かれたモサドの工作員を乗せた二台のトラックが別々の道を通って向かったのは北方アゼルバイジャンとの国境だった。そこから先は新聞には書かれていなかったが、国境にはモサドの別の工作員が出迎えにきており、盗まれた大量のファイルは、そこからモサド所有の飛行機でイスラエルに持ち帰られたのだと容易に想像できる。

将来、対イランの軍事作戦があれば、現状ではサウジアラビア上空の通過も黙認され得よう。しかし、たとえ目標を非常に限定したとしても、イランの国土の持つ縦深性などから作戦はかなりの困難を伴うことが予測される。したがって、経済制裁を科しつつ、たまさかにイランが暴発したら米国と共同で叩くというのがイスラエルとしては目指したいシナリオだと思う。

ただしイスラエルは、自国防衛を他国に依存していない。単独でも必要なことは必ずやるし、その時に至った場合に米国の顔色を窺うことはない。一九八二年に行われたイラクの原子炉爆撃でも、二〇〇七年のシリアの原子炉爆撃の際もそうだった。単独で攻撃する必要が生じた場合には、「イスラエル首相は米大統領に対して、攻撃機が飛翔した後に、「大統領、既に我々の攻撃機は飛び立ちました。貴国はイスラエルの最大の友好国なので、貴大統領にこのことをお知らせします」と電話で告げることになる」という覚悟であるとシュエフタン教授は言う。ホロコーストの大惨事のとき、米国を含めどの国も何もしてくれなかったことを彼らは決して忘れていないのである。

†ヨルダン川西岸地区及びガザ地区のどうしようもない状況

西岸地区及びガザ地区はどうしようもない状況にある。

第二次インティファーダで疲れきった西岸住民に、再び街頭に出て石を投げる気力はなく、もはや敗北感も漂う。主要なところに分離壁とチェックポイントが設けられ、今では、

西岸地区とイスラエルを隔てる壁

日々の生活のためにチェックポイントを出てイスラエル側に仕事に出ることでさえ難渋を極める。トランプ政権の数々の政策に反発の声は激しいが、街頭が荒れるわけではない。兄弟であるはずのアラブ諸国の支持も力強くは聞こえてこない。

一方、ガザは状況が全く違う。ハマスが強権政治を敷き、イスラエルの殲滅《せんめつ》を未だ綱領として掲げており、二〇一七年一二月のトランプ大統領による米大使館のエルサレムへの移転声明後は、「帰還大行進」を組織して、ガザ地区とイスラエルとの境界付近からイスラエル側に向かって火炎風船を飛ばして農地などを焼き、イスラエルへの脅かしを敢行してきた。

二〇一八年五月一四日の米大使館移転式典、そしてラマダン（断食月）が終了した後、二〇一八年から一九年にかけて数回にわたり緊張が激化した。二〇一九年三月にはテルアビブ郊外と、日本人駐在員子弟の多くが通うインターナショナルスクールから一〇キロ以内のところにそれぞれロケットが撃ち込まれた。

五月は一晩で七〇〇発ものミサイルがガザから飛来し、テルアビブ南郊二〇キロのところまでが着弾範囲に入った。ハマスは本格的に開戦して壊滅的打撃を被りたくない、イスラエルも出口のない戦争に入りたくないということを合理的に推論すれば開戦はあり得ないのだろうが、誤解などにより激化する可能性はある。人間の主観に関わる当事者の事態の判断は窺い知れず、一触即発の緊張だった。

間断ない衝突の裏で、ガザの民生は悲惨の一言である。二〇一八年五月には、ハマス政府に対する抗議デモが発生するという稀有なことがあったが、すぐに鎮圧された。邦人記者に聞くと、ガザ住民には、ハマスの政府に絶望してエジプトとの境界の検問所から脱出したいと思っている人が多いという。

イスラエル側が嘆くところを聞けば、二〇〇五年にイスラエルがガザから一方的に撤退した際、世界銀行などがイスラエルに対し、今後のガザ経済の柱の一つである農業のために、ユダヤ人入植者がガザ地区内に建てたビニールハウスを撤去せず残しておくようイスラエル政府に強く要請したのでそうしたが、現在そのビニールハウスはハマスにより破壊されて一つも残っていないという。

仮定の話として、パレスチナ側に、西岸とガザにまたがってリーダーシップを発揮し、アラブの民衆の同情も集められるような優秀な人物が出てきたら、パレスチナの運動は再興されるだろう。その場合には、イスラエル側も「二国家解決」を改めて模索せざるを得ない。

しかし、パレスチナが分裂し内部統治が拙劣な中では、イスラエルは傍観を決め込んでおり、パレスチナ側と交渉するきっかけもインセンティブもない状況である。イスラエルの安全保障関係者は、「そんな優秀な人物がいるのならぜひ見つけて連れてきてほしい」と言うが、その心は、「そんな人物がいるわけがないだろう」という侮蔑の混じった諦観の中に、「もしもそういう人物が現れれば平和が訪れ少し息がつけるかもしれない」といういくばくもない期待が少しだけ入り交じっているように思えた。

†「平和」の二次的な価値

非道徳的で逆説的な言い方になるが、イスラエルにとって、生存を脅かされることなく、他方で危機と隣り合わせているという今の状況こそが最適解であり、それに比べれば「平和」は、民族の生き残りのためには二次的な価値であるとさえ思う。

まず、この地域に「平和」は簡単には訪れない。シュエフタン教授は、「我々の孫の代にも、ガザで我々は戦っているだろう」と言う。彼は、イスラエルが置かれる戦略的環境は、「壊滅的」か「とてもひどい」かしかなく、今は後者であるので理想的だとする。日本人が期待する「調和」という言葉は中東にはない。

また、「平和」はイスラエルにとって、おそらく最適解でもないだろう。この国とユダヤ民族にとって何が究極的な目標であるべきかといえば、子孫の継続と繁栄であり、民族の生き残りである。歴史上、それが大変な危機にさらされたことは何度もあった。この国は世界から離散者が帰って来て、背景が全く違う人々が作っているある種の人工国家である。その目標のためには、徴兵制によって強制的に同世代をるつぼに入れてかき混ぜて、「イスラエル人」という共同意識を作り上げなければならない。

「二人集まれば三つ政党ができる」という、よく言えば議論好き、悪く言えば遠心力の働くこの社会にもし「平和」が到来し、徴兵制が廃止されたら、結合力よりも遠心力が働き、国がバラバラになってしまうのではないか。その意味で「平和」は、民族の生き残りのためには二次的な価値であるのかもしれない。

さらに、平和なイスラエルは弛緩《しかん》した存在になってしまうと思う。徴兵もなく、軍の国家統合作用もない、軍を中心とした同窓会組織も弱くなり、人と人がつながらなくなる。危機感を背景にキラ星のごとく出てきたイノベーションもあまり出てこなくなる。皮肉なことかもしれないが、今のような状態だからこそイスラエルには色々参考にできることがあると言うべきだろうか。このようなことをイスラエル人に言うと、たいていは顔をしかめ、「我々は平和を愛し選好する」という答えが返ってくるが。

†フラットな社会は歴史の蓄積に耐えられるか?

繰り返しになるが、イスラエルは古い文明を持つが、新しい国である。ユダヤ人は「議論」することを旨とし、権威を重んじず、チャレンジする文化的特徴を保持しており、それは今のフラットなイスラエル社会に濃厚に投影されている。そのような社会は、位階的なペルシャ民族の社会より、アラビア半島の民の社会に近い。アラビア半島の民は、遊牧民としてフラットな社会を維持し、未だに国王にマジュリス(集会)で会うのに握手するだけで拝跪《はいき》はしないという伝統が残っている。

ただ、イスラエルが国として二〇〇年続いたら、果たして今のようにフラットな社会のままいられるだろうか。イスラエル軍は「民兵と青年団の混合」のまま、指揮命令系統も緩いままでいられるのか。

一七七五年〜八三年の米国独立戦争時の新生アメリカ軍は義勇軍だったのだろう。その八〇年後に南北戦争を南と北とに分かれて戦っているが、その時もまだ民兵のようなものだったのだろうか？　米軍は今や米国の中で官僚の権化のような存在である。米軍を見ると、この国の軍隊も独立を長く維持すれば、それなりの位階やヒエラルキーが発達するのかもしれないと思う。

第四章

イスラエルとのビジネス協力
――壁を突破するために

「中東のシリコンバレー」テルアビブのビル街(©aflo)

1　イスラエルの強み

企業内開発からオープン・イノベーションへの技術開発モデルの変化、電子コマースやAIの席巻という企業活動の破壊とも言える変化の時代、日本のイスラエルへの関心とビジネス協力の追求は、どんどん強まっている。しかし、企業統治の仕方や、文化ギャップなど乗り越えるべき課題も多く、具体的な協力の成功例を積み重ねることが必要となってくる（ビジネスの世界は日進月歩であるが、私がいた二〇一九年夏までの状況を基に記述することにしたい）。

†「非順応」「議論」というユダヤ文化の伝統

イスラエル人は、「我々は、規格外の考え方（out of the box thinking）が得意だ」と自慢する。実際イスラエル人には、日本人にはなかなか真似できない尖った考えを持っている人物が多いと少なからずの人が言う。日本企業は、今の企業内の技術陣や企業統治では突破できない限界の先をイスラエルに求めに来ている気がする。日本の企業関係者の話を聞くと、イスラエルには技術スカウトに来ていると言い、つまり「技術乞い」に来ている印象さえ持つ。

この限界突破能力が何に由来するかと言えば、国防軍を中心とした「エコシステム」であり、「非順応」「議論」というユダヤ文化の伝統に行き着く。イスラエルの強みは国防軍であり、軍が、①社会のるつぼ、②社会人教育施設、③職業訓練学校、④同窓会の集合体であり、その軍の必要性から産みだされ実装された技術を、軍の退役組が民間に持ち込むことにより回る「エコシステム」が中核を成している。

イスラエルの文化は、先述のように「高いリスクを許容して取っていく精神」「階層意識のなさ」「無礼」で「短気」であるという意味でイノベーションに適しているが、その深淵には、マイノリティの宗教を信じる者が生き延びるためには、大勢への順応に積極的に抗う必要があったこと、宗教とその教育がトップ・ダウンで権威に従うものでなく、議論を大切にしてきたことがある。

†注目が集まったイスラエルの技術

それでは、彼らの産み出すどのような「エッジ」に世界からの熱視線が集まっているのか。イスラエルの個別技術及び政策についてその一端を紹介すれば、アグリテックでは、非常に高い割合の再生水（八〇％前後。二位のイタリアは三〇％強の由《よし》）を利用する。そのように水使用量を画期的に減らした散水技術のみならず、何千頭、何万頭もの乳牛の耳に無線聴診器をつけて健康状態を集中管理することにより、搾乳量を増やす技術なども実用化している。

現在はその第二波として、ビッグデータ分析、センサー、バイオテック、ロボテックスなどに基づく技術が開発されており、たとえばドローンを使って空から樹木の発育を管理するスマート圃場《ほじょう》管理や、病原体コントロールなどの取り組みが進められている。さらに、食糧確保から栄養確保へ、そして健康維持という持続可能性の観点から、代替食糧源についてのイノベーションにも取り組んでいる。

また、サイバーはイスラエルのハイテク技術を象徴するものとなったが、イスラエル軍の第一線でサイバー攻撃・防御を行っている者が除隊して、軍隊で学んだ最新技術をもって民間で活躍することで、最新の防衛技術のみならず、追跡・捕捉、攻撃の技術も発展している。

自動運転については、センサー（視覚）をベースにした衝突警報防止技術はイスラエルでは自動車への搭載が義務化されている。自動車同士や自動車と標識などとの通信（聴覚）によって無人での自動運転を可能にする技術も進展しており、日本のみならず中国でも実証実験が行われている。

ヘルスケアについては、手術で医者の執刀が不要となる自動技術や、視認より早い脳波による知覚技術、難病治療薬の開発のみならず、脳科学の発展を利用して健常な人の幸福度を高めるための研究も進む。全イスラエル国民の医療データが三〇年にわたり蓄積されており、その九八％がデジタル化されているのも強みである。

フィンテックの分野では、伝統的な金融部門については日本よりも規制が厳しいが、フィンテック技術については研究開発が盛んであり、利用者本位のプラットフォームあるいはシームレスな金融サービスの提供について日本企業との協業も発表されてきている。最近の資金調達でフィンテックはサイバーセキュリティを凌駕しているという。ブロックチェーンについても研究は端緒がつきいくつか実装されているが、エコシステムの確立のための動きが進展中である。

ＡＩ分野では、サイバー産業立ち上げの成功に倣った普及を狙っており、機械学習をさせるためのベースとなる知識ソースの拡大が、軍出身の知的エリートのリソースなどを使って行われている。

宇宙についてもエコシステムを急速に整備しており、高校単位でナノ衛星の運営をさせている。なお、顔認証に関しては、プライバシー保護の観点から非識別化技術も進んでいる。

†イスラエルの技術開発レベルはどのくらい高いのか?

技術分野によって様々な世界ランキングがあるが、相場的に言えば、総合順位では米が圧倒的一位として、イスラエルは二位、三位、四位くらいにつけているようである。日本の科学技術協力の特に研究分野の関係者に話を聞くと、日本の協力相手として、米、英仏独、(中露)、に次いでイスラエル、スイス、スウェーデンなどが挙げられていた。また、日本の科学技術行政の関係者によれば、米が圧倒的としても、イスラエルはその次のグループにいる。このような協力ができない国は多くあるが、イスラエルとの協力は必須であるとのことだった。

†シリコンバレーとは何が違うのか?

アメリカのシリコンバレーはイスラエル人で溢れていると聞く。同地で活躍していたある企業のデジタル関係責任者に話を聞くと、シリコンバレーをシャンゼリゼと喩えるならば、表のブティック街は米国籍あるいは多国籍でも、裏の工房に行くとイスラエルの技術が多いという。ちなみに、中国の深圳《しんせん》はハードウェア工房の地位を狙っているが、米中技術戦争の影響でそうなれるかはわからないとのことである。

そもそもイスラエル企業は、米国市場を主要ターゲットとしている、米国に研究所のみならず本社がある、あるいは経営者自身が米国籍を持っているなどの要因から、米国との関わりが非常に深いケースがほとんどである。人によっては、イスラエルは米国の巨大なエコシステムの一部として一体化しているという。

確かに、イスラエルは米国とつながっている。米国で投資機会を考えていたらイスラエル企業にあたった例もあるし、イスラエルを通じて米国市場や米国のエコシステムにアプローチするというルートとしても十分機能する、イスラエルとはそういう国である。

なお、ドイツとイスラエルの関係も興味深い。政治的に問題があったため、ドイツは従来からイスラエルに対して経済的勘定を超えて持ち出しをしてきたところもあった。一方で、ドイツでは、伝統企業が伝統を墨守をするところがあり、ドイツ企業は日本企業と同様、新しい形のイノベーションに向けた企業風土には十分になっていないところがある。自動車産業にぶら下がっているところも日本に似ている。この閉塞感を打ち破るため、現在、ドイツ企業がイスラエルに進出し、あるいは協力関係を持つ例が非常に多くなっているという。二〇一九年上半期のイスラエルにおける欧州関連投資の三〇%がドイツ企業に関係するものだったと報じられている。

2 日本企業のイスラエル進出

†日本企業にとってなぜイスラエルか?

日本企業の方々の話を聞いてきて感じるのは、日本企業が得意としてきた自社の開発チームでの独自技術の製品化というモデルが通じなくなっており、技術進展のスピードと必要資金の規模のハードルが上がり、よりオープン型のイノベーションが必要になってきたということである。来訪されたトップ経営者は、山の頂上から見える風景、企業トップ同士の会話などから、イスラエルに手をつけなくてはならないという切迫感を持っていることを感じる。

結果として、日本企業のイスラエル詣ではより盛んになってきている。二〇一九年一月に世耕弘成《せこうひろしげ》経済産業大臣（当時）が日本企業約一〇〇社を連れて来訪したことは、当地でもかなり報道された。「日本企業がとうとう来た。韓国や中国に遅ればせながらようやくイスラエルを発見してくれた」というような取り上げ方である。

実際この七〜八年、特に二〇一五年一月に安倍晋三総理大臣が産業界のトップを引き連れてイスラエルを訪問して以来、日本の産業界における対イスラエルの受け止め方がずいぶんと変わったし、イスラエル側もあの訪問は画期的だったとしている。

そして、冨田《とみた》浩司《こうじ》前大使が「企業来訪・進出が分水嶺を越えた」と言っていたのが、二〇一七年から一八年にかけてだったと記憶する。二〇一七年一二月の米大使館移転発表の後一カ月程来訪者の流れが止まったが、その後は再開されて来訪者は増える一方である。

一方で、アラブ諸国による対イスラエルの経済制裁「アラブ・ボイコット」はあまり話題にならなくなった。ビジネスとの関係では、外務省の危険情報（一部を除いて危険度1）も日本のビジネス関係者の間でそれほど話題にならなくなっている。前述のように、イスラエルは平和にはなりにくいし、平和でないからこそこれだけの成長をしている側面がある。したがって、完全な平和を待ってからイスラエルに来ようとしてもそうはならないし、また時宜を逸してしまうことになると思う。

†日本企業進出の現状

イスラエルへの日本企業の進出は、現在七〇社強。二〇一五年以来倍増した。商工会も伸び盛りで、毎回新規加入企業の承認案件があり、製造業、金融、製薬業、コンサルティング、商社、弁護士、会計事務所などバラエティに富んできている。駐在の子弟の大半が通うインターナショナルスクール（日本人学校も補習校も無い）でも、「今日も日本人の子がクラスに来たよ」という言葉を聞くようになったということである。

ただ、賃金が高く、地場産業がないイスラエルで工場を持っているのはごく一部のみである。結果として、各社とも一名からせいぜい数名の日本人駐在員しか置いていない。自動車産業などのように工場移設を通じて大量の人や物を運輸することがないので、日本の大手航空会社は直行便の開設になかなか前向きになれないと聞いている（その一方で、二〇二〇年三月からイスラエルを代表する航空会社であるエル・アル航空が週三回直行便の就航を予定している）。

この他にも、古くから紅海近くのエイラットで操業しているサプリ製造企業、ベエルシェバ近傍に大工場を構えるインテルに機械装置を収める工作機械の企業などが活動している。また、拠点を構えるには至っていないが、「通《かよ》い」で活動している企業や、大使館とは接触せずに出張してきているところも少なからずあるので、大使館として全てを把握しているわけではない。

なお、インテルは、一社でイスラエルの輸出額の一一%を叩き出しているということで、そこへの機械装置の納入は、日本とイスラエルの貿易額に大きな影響を与える。ガザから約四〇キロのベエルシェバの側にあるが、機械装置の保守点検のため定期的に日本からの技術者が滞在しており、ここでも危険情報がビジネスの障害になっているわけでもない。

また、日本企業の投資欲も高まってきている。投資の実態把握は、案件自体あるいは金額の非公表、集計手法（日本企業の欧州子会社からの投資、あるいは米国法人となったイスラエル企業への投資は、日銀統計では漏れる）などの問題によって簡単ではないが、ハレル・ハーツ社によれば、二〇〇一年から一八年の日本企業の対イスラエル投資件数は二〇〇件弱、総額は六三億ドルで、特に二〇一五年からの伸びが大きいものの、日本のシェアは、イスラエルへの外国からの全投資の約三%と言われており、未だ遅咲き感はある。

二〇一八年は、一七年の田辺三菱製薬によるニューロダーム社の巨額買収の反動で投資額が落ちているが、トレンドは右肩上がりである。二〇一九年後期だけでも、デンソー（自動スマート視認検査、自動運転を含むモビリティ・インフラ）、小糸製作所（前方監視運転支援システム）、アルパイン（自動運転セキュリティ）、ルノー・日産・三菱アライアンス（イノベーションラボ開設）、豊田通商（自動運転領域も含む技術スカウトのための戦略投資、自動車車両検査サービス）、武蔵精密工業（発電用小型エンジン、ロボット人材企業）、リガク（X線計測に係る自動形状測定技術）、サン電子、NTT、ルネサス・アルティア（超小型超低消費電力ソリューション）、アンジェス（抗がん剤選択診断技術）、凸版（顔画像の非識別化）、村田製作所・トッパンフォームズ・みずほ情報総研（感情分析アルゴリズムを利用した社員健康管理）、住友化学（体調可視化と臭気探知）、ソフトバンク（サイバーセキュリティ）、SOMPO（医療サイバーセキュリティ）、東京海上ホールディングス（サイバーセキュリティ、ヘルスケア、農業、自動運転）、東京海上日動火災保険（ドローン撮影・画像解析）、東京ガス（イスラエル電力公社と東京五輪中のサイバー防衛で提携）、電通（デジタルコミュニケーション）、NTTドコモ（AIハイライト動画プラットフォーム）、朝日放送グループ（AIカメラを活用したスポーツ映像配信事業に関する共同実証実験）、リクルート（仮想通貨決済ウォレット）、みずほ・富士通（パーソナライズド・バンキング）、SBI（SNSプラットフォームでの金融サービス）、三井物産（戦略投資）、住友商事（アグリテック）、任天堂（旗艦店出店）などの投出資、業務提供などが発表されている。

日本の社会政策上の課題を正面から取り上げてイスラエルのイノベーションと結び付ける興味深い例としては、SOMPOがデジタル・モビリティ業界で最大のコミュニティであるエコモーションで行ったピッチ・イベント（アイデアを公募するイベント）がある。「高齢者の運転事故削減」というテーマで、イスラエルのスタートアップ企業が持つ独自の技術を使いながらの解決策を募集し、様々な生体情報（心拍数、呼吸速度、血圧など）を測定してドライバーの身体及び認知力の低下を警告するソリューションを提供するスタートアップが優勝している。

日本企業のアプローチとしては、買収した会社の買収後の統合のための駐在員の派遣、自社工場の管理、技術スカウトたる駐在員の配置や出張者の派遣、コンサルティング会社の活用、ベンチャーキャピタルへのマイナー投資や自社の立ち上げなどがあるほか、大学との研究開発協力を行うアプローチもある。

†研究開発の拠点の設置

イスラエルでは、インテル、IBM、GAFA、マイクロソフトはもちろんのこと、ベンツ、GM、サムソン、アリババなどの名だたる企業が研究開発センターを設立しており、アップルやグーグルは千人から数千人という単位で技術者を雇っているが、日本企業はそこまではとてもいかない。GAFAの中には青田買いをするために、イスラエルのMITたるテクニオン大学のあるハイファに、研究開発のためのキャンパスを構えているところもある。

二〇〇〇年に一度の変革期を迎え、世界各国の自動車メーカーが研究開発センターをイスラエルに設置する中で、日本の自動車メーカーの動きは遅いとも言われている。しかしその一方で、トヨタが投資活動を展開したり、日産・三菱・ルノーが研究開発センターを設置した例などもある。

3　成功への課題

†シリコンバレーでの失敗

シリコンバレーで日本企業は負け続けた。マイクロソフト・オフィスからグーグルの検索マシンが主導権を奪おうとしていた二一世紀初頭、電子カメラによりコダック社の経営が傾き、日本企業は一斉にシリコンバレーに進出した。結果は死屍累々《ししるいるい》、ほとんど相手にしてもらえず、進出の目的を果たせた会社は多くなかった。日本企業と言えば、「訪問してきて話は聞いて、そのまま何も起こらない」（Visit, Listen and Leave）という悪評ができたという。

今や時代は、グーグルが無人運転での試走距離でトップを走り、アマゾンが小売店をなぎ倒し、シェアリングと課金制が様々な業態に広がり、ＡＩが弁護士や公認会計士の仕事さえも代替せんとしている。

米グーグルに続き、イスラエルではインテルに買収されたモービルアイ社が、来年から自動運転タクシーが公道を走るトライアルサービスを行う。日本企業も切迫感を持ってイスラエルに視察に来たり、ベンチャーキャピタルに拠出したり、また駐在員を置いて進出してきている。シリコンバレー経験者や社内の猛者を駐在員にしている。ただし、克服すべき課題はシリコンバレーと同様でかつ大きいと推察する。

†日本企業が抱える課題

日本企業の方々と接していると、みな共通して以下のようなことに悩んでいた。①産業構造の大転換への対応の困難さ、②CEOと中間管理職あるいは事業部との間のギャップ、③資源の逐次投入、④オープン・イノベーションを必ずしも受け入れられない「本社」の風潮、⑤完璧主義者過ぎる日本人、⑥東京の意思決定のスピードの遅さ、⑦買収後の社内統合が上手くできない、などである。そこには一企業、一業界の問題もあれば、公的部門にいても痛切に感じる日本の組織共通の問題もある。

まず、これまでの日本の産業の成功を支えてきた産業は、データ集積とデジタル化が進む産業構造の大転換への対応に、マインド及び選択と集中において困難を抱えている。事業部制、エネルギーなどの物流中心だった産業は、大量の物資の輸出入や移動で稼いでいただけに、二一世紀型の電子コマースやAIなどの新しい流れをどのようにビジネスに結び付けるか、自社の体制変更の必要性などの課題に対応できていない感じが伝わってくる。

また、CEOにはCEOにしか見渡せない高みがある。みなそうした強い問題意識をもってイスラエルに来るし、まずは駐在員を派遣する。しかし、そうした高みから全体を見渡せない中間管理職の意識にギャップがあり、結果として現場の駐在員がサポートを得られない場合がある。また、事業部が強いところでは、そこに本籍を置かない人物は同じ社員であってもなかなか話が通じない傾向にある。

イスラエルという国での新しい事務所は、とりあえずは商売を生まない事務所なので、まずは駐在員を一人だけ置くのが定石《じょうせき》となっている。しかし、そうするとその駐在員は、事務所を探し、現地職員を探し、家を探しながら会社にとっての価値を出さなければならない。さらに言えば、軍の同窓会のループに入ってもいない日本人が、技術スカウトの現場でどれほどの生産性を上げられるかという問題もある。ファンドにお金を積んでそこから効率よく情報を吸い上げる、あるいはイスラエル人を雇って切り盛りする胆力があるのであれば社員として雇う方がよいのかもしれないとの話も聞く。

†「やってみなはれ」の精神

日本企業の技術陣には自分たちが技術を作ってきたという誇りと職人気質がある。実際、高い職業倫理と目的意識をもつことは素晴らしいことだ。しかしながら、そのためにパラダイム・シフトについていけず、外からの技術の導入については否定的になりがちで、したがってオープン・イノベーションを必ずしも受け入れられない傾向がある。

日本人は完璧主義者で職人気質であり、こだわりを持つことや匠《たくみ》の技術が、日本では文化的に称揚されている。一方で、それが行き過ぎると、こだわり過ぎ、慎重過ぎるということになる。日本人のような繊細さをもっている外国人はほとんどいない。結果として、やってみる前に失敗への恐怖が先に走ることになる。

それに比べて、日本に文化的にかなり近いはずの韓国人の「ケンチャナヨ」(「だいじょうぶ、まあいっか」の意)、中国人の「チャーブードゥオ」(「だいたいでいいよ。変わんないよ」の意)の方が、外国人にはわかりやすく、結果としてスピード感もある。職人文化であるがゆえに難しいところがあるが、自分のこだわりだけに囚われずに、「やってみなはれ」という精神も必要だろう。イスラエル人は逆であり、彼らから見ると日本人はあまりにも慎重過ぎるということになる。

東京での具体的事項への意思決定は、少額案件でも取締役会メンバーに根回しして稟議《りんぎ》に回す必要があり、時間がかかる。その間にイスラエル側はしびれを切らして、オーナー企業などで意思決定が早く金払いのいい企業に乗り換えてしまう。そのために商売のチャンスを逃した日本企業の例も少なくない。それが民主的ボトムアップ型の多くの日本企業の意思決定プロセスの弱点であり、特に大企業においては、それを乗り越えることはハードルがかなり高い。

さらに、企業買収後の事業経営統合（ＰＭＩ）がうまくできない例も多い。ＰＭＩは日本企業にとっての鬼門《きもん》だが、イスラエル人との間では特に大変だろう。「率直」「傲岸」「バラガン」（混沌）でもまずはトライする精神のイスラエル人に対し、日本人は「慎み」「調和」「用意周到」にした上で歩を進めるので、やり方としてぶつかってしまう。

また、日本人の場合、どうしてもコミュニケーションをせず、権限も委譲しないか、逆に勝手にやらせ過ぎて、現地幹部に東京の本部の威令が到達しないかの両極端に振れてしまう傾向がある。

現場への権限移譲が必要な一方で、東京の威令を確立し、会社方針に従わない場合には人事措置をとるというのは言うに易く行うに難しい。そのことは私自身が国際機関で務めた経験からしてもそうである。なお、経済的仕掛けとしては、優秀なイスラエル社員引きとめのための経済的インセンティブとしてのストック・オプションを日本企業は提供できないという問題がある。

†いくつかの成功例、興味深い例

日本企業のイスラエルでの活動、あるいはイスラエル企業の日本での活動は黎明期《れいめいき》で、全体としてはまだまだこれからである。その中で、いくつかの面白い例、興味深い例を紹介すれば以下のとおりである。

「イスラエルで成功している日本企業はどこか?」とイスラエルのベンチャーキャピタルの日本専門家に質問したことがあるが、A社（ロボット・機械）との答えが返ってきた。A社はイスラエルのロボテク企業を二〇一〇年代に買収したが、同社は車椅子の人をもう一度歩かせる装着型ロボットを開発している会社である。

イスラエル現地法人の社長は元文科省国費留学生で、A社の企業戦略に合致して、その一部として機能しているという評価だった。実は私はこの会社を訪問したことがある。その際に応対してくれた社長は、イスラエル人らしくなく（!）物腰柔らかだったが、A社本社との毎日のように行われる会議と、調整の大変さを語ってくれた。PMIの現場が毎日試行錯誤の連続なのを物語っているように感じた。

B社（商社）は分業制で、所長のうち二人が投資、一人が農業（種子）関係での買収企業経営に携わっており、日本の商社として多角化、専門化して別々の事業を育てる面白いモデルである。投資を担当する二人のうち一人は途中入社でありいわゆる新卒ではない。また、今回ベンチャーキャピタルを自前で立ち上げたが、こちらは二人の日本人、二人のイスラエル人の四人でパートナーシップを組み、東京の決裁を省いて意思決定を現地化、効率化しているところが特徴的である。

C社(サイバーセキュリティ)は中小企業であり、イスラエルには拠点を置かず、いわゆる「通い」で活動していながら、積極的に技術スカウトを行い、当地企業のサイバー製品を日本で販売する。社長が強い権限を持ち、技術・営業という部署間での垣根が低く、互いに密接に連携しながら早期に実績を作ることにより、イスラエル側関連業界から引きが来ているという。

D社(化学)は日本の地方に本社がある企業で、会社初の海外での活動がイスラエルなのだが、日本に居住・勤務経験があり、日本人の特質をよく理解しているコンサルタントがつき、大学との共同研究から始め、若手技術者をその研究室に送り込むという手法をとり、地に足のついた形でイスラエルに入ってきている。

E社(保険)は、昨年イスラエル人を一挙に六人雇ってオフィスを開設しており、「ビジビリティ」は高い。彼らは、本社首脳の全面的支持を受けた、シリコンバレーで活動したCDO（Chief Digital Officer）に直接報告する形で活動している。開設したオフィスの規模、現地人責任者、報告体制、会社のバックアップ体制などいずれも興味深く、また日本から来る若手出張者が明るく元気なところも特徴的だった。

F社（証券、投資）は、医療業界に絞った投資をしており、インサイダーによく入り込んでいる印象だ。また、別会社でバイオテクノロジーに投資したり、それ以外にも社長の強烈なリーダーシップで独創的な投資をしている。

G社（機械）は、ピッチイベントなどを順次開催して、イスラエルのエコシステムに入っていっており、日本企業を引っ張る存在。H社（エレクトロニクス）、I社（製薬）、J社（エレクトロニクス）は、イスラエルで企業買収をして地方に会社と工場を持っている。イスラエル人のマネージメントが一番難しい現場を抱えて苦労している。

†日本企業とイスラエル企業の真の協業

あるシンポジウムで、「二〇二五年には日本とイスラエルの経済関係はどうなっていると思うか」と聞かれたことがある。そのとき私は、「日本企業とイスラエル企業の協力が進み、サクセス・ストーリーがたまって本が一冊とは言わず数冊できるだろう」と答えた。

イスラエルには天才肌が、日本には職人肌が多く、この個性の違った人たち同士が協力して、よい相互補完関係ができる。そういう意味で、この関係には潜在性が大きい一方で、それを実現するのは、これまで見てきたような課題があり簡単ではないと思う。

イスラエルのスタートアップ界の巨星ヨッシ・バルディ氏が、「イスラエル人ほど流れ作業が向かない人種はいない。流れ作業に従って一つのビスを留めるにも、所定の位置に留めず、ここの位置の方がもっといいんじゃないかとか、違う角度で留めた方がよりよくなるんじゃないかと次々に試してしまう。それに比べると日本人の強さは、同じビスを同じ所定の位置に根気よく留められる点にある。日本人がイスラエルのイノベーション能力を取り入れるのはいいことだと思う。ただし中途半端にやると上手くいかないばかりか、自分たちの強みも失ってしまうので、そこは気を付けた方がよいのではないか」と言っていた。

私にしてみれば、日本側が克服すべきことも多いが、イスラエル側にもかなりの努力が必要だと思う。イスラエル側は、短期間でカネを稼いで逃げ切るという態度ではなく、どっぷりと腰を落ち着けた、しかも相手に感情移入した取り組みが必要だろう。

江戸末期の開国時に福澤諭吉は、西洋の個別の技術にのみ目を向けるのではなく、西洋文明を総体として深く洞察すべしと説いた。日本人は西洋の文明を全身全霊で吸収し、近代化に取り組んだのである。幸いイスラエル人は、うるさいことも言うが、基本は真面目で、かつ約束を守る人たちである。それに、歴史上、マイノリティとして辛酸をなめてきただけに、本当は感情移入をできる人たちのはずだと思う。

また、世界の経済及び政治の中心がインド太平洋に移動していることを、イスラエル人は鋭敏に感じている。イスラエルの外務省でも、最近はアジア勤務を希望する外交官が増えているという。これはイスラエルだけでなくブラジルや欧州でも起きている現象である。もし彼らが本当に成功したいのならば、古い文明を持つアジアや日本を深く理解する必要があることは、おのずから理解できるはずだ。

イスラエル企業からすれば、日本企業は職人気質を持ち、製品の完成度を保証してくれる存在である。また、日本企業が営々と築き上げてきた世界市場、特にアジア市場でのネットワークと経験は無形だが巨大な資産だ。シリコンバレーの企業と違い、狭小なマーケットしかもたないイスラエル企業は、外国に行き、外国企業と組まざるを得ない。だから、日本企業とイスラエル企業のパートナーシップが実現し得る可能性は高いと思う。

問題は一つ一つの成功を積み上げていくことだ。しっかりとしたビジネス、しっかりとした協力が積み重なることで、両国のビジネスの協力関係の根は強く深くなっていく。公的部門の役割は、その成就を期待しつつ外部環境を粛々と整えていくことにある。

第五章

高まるイスラエルの政治的存在感

ロシアの戦没者追悼献花式に招待されたネタニヤフ首相(©共同通信)

1　中東の混迷

†揺れ動くアイデンティティ

　現代において、我々は自分たちが日本人であるのを疑うことはない。もともと武士を中心に藩への帰属意識が高かったものを、近代化の過程で、国民教育、国民（男子）皆兵制度などを通じて日本国民としてのアイデンティティを培養し強固にしてきた。欧州の一国と違いキリスト教のような普遍性のある文化が基層になく、また島国で孤絶した環境にいるため、日本のナショナリズム、そして日本人としてのアイデンティティは割合単純でかつ堅固なものがある。ところが、中東においてアイデンティティには複数の層がある。アイデンティティはその間を揺れ動き、しかも社会統治の安定的基盤となり得ていない。そのことも中東の混迷の大きな原因となっている。

　私が若い頃に勤務したサウジアラビアにおいて、サウジアラビア人たちは、まず部族に属し、次に国に属し、アラビア語という共通語の民族に属し、そしてイスラム教徒という宗教グループに属するという意味で、四層のアイデンティティを持っていた。

サウジアラビアは、オスマン・トルコも手を出さなかった不毛のアラビア半島中央部のナジド砂漠から一八世紀に出て来たサウード家が建国した国であり、他律的に独立したシリア、イラク、ヨルダンのような国々とは違う。

しかし、「サウジアラビア」という国名は、「徳川日本」というようなものであり、非サウード家の民にサウジアラビアという国に対する帰属心がどの程度あるのかはわからない。商業ルートの紅海沿岸ヒジャーズ地方の開放的な伝統を引き継ぐ人たちが、不毛のナジド砂漠の質実剛健・非妥協的な伝統を引継ぐ人たちと同じ夢をみているだろうか。東部のシーア派の人たちは帰属心の先にサウジアラビア王国を見通せるだろうか。

ムハマド・ビン・サルマン皇太子の改革は若者に大変人気があるという。確かにひと昔前の、あの映画館も何も娯楽がなく、「勧善懲悪《かんぜんちょうあく》委員会」という名の宗教警察が戒律を厳しく取り締まり、女性には運転禁止どころか顔を全面隠すことを強制していた頃から比べれば、女性による車の運転も解禁となり、コンサートでポップ・ミュージックに熱狂できる今のサウジアラビアは本当に隔世の感がある。

しかし、それでも彼らは無名の子ではなく、親がいて部族に属し、特定の宗派を信奉している。有事になり身に危険が及べば、一番頼りになるものに帰属するのであり、ボスニアやイラクで我々は極限に追い込まれた時の人間の行動を見ている。中東においてナショナリズムが機能しているのは、ケマル・アタテュルクが文字をアルファベットに変え、トルコ帽を禁止し、政教分離のための大改革したトルコ、古代から王朝を何度も打ちたてた記憶のあるペルシャ（イラン）、そしてユダヤ人が中心となって建国したイスラエルくらいしかない。ナイル川という巨大な求心力を持った自然の造営物に沿って国土が展開するエジプトが辛うじてそのグループに入れるかもしれないくらいだ。

実はアラビア語を共通語とするアラブ民族は糾合すべしという「アラビズム」は、オスマン・トルコ崩壊後の近代の歴史において一時有力な選択肢に見えた。もともとアラビズムは、少数者であるキリスト教系アラブ人が主導したところもあり、イスラム教徒と非イスラム教徒のアラビア人を結束させ、ヨーロッパからの侵入者に対抗するという意味では有効な運動で、エジプトのナセルの時代（一九五四に首相、五六年に大統領に就任。七〇年に死去）にその勢威とともに頂点を極めた。

しかし結局は、各国の権力者が自国及び自己の権益を守ることに終始したため、掛け声以上のものとはならず、最盛期でもシリア・エジプトの国家連合がいとも簡単に解消されてしまい、アラブ連盟も役割を果たすことはなかった。一九六七年の第三次中東戦争でアラブ連合軍がイスラエルに完敗してナセルの権威は失墜し、アラビズムのメッキは剝げ落ちた。アラビズムの現在の低調さは、現在のパレスチナ人が「兄弟」であるはずのアラブ諸国から受けている扱いにも表れている。

†オスマン・トルコ帝国の崩壊とイスラミズムの勃興

中東において、一部の国を除いてナショナリズムには実態がなく、アラビズムが権威を失い、部族は部族でしかなくそれを超えた結合のバックボーンにもならないとき、イスラムは社会結合のアイデンティティとして最も重要なものになる。それは為政者が利用するに足る重要な社会的動員力を持つものである。

二〇世紀前半に至るまで何世紀にもわたってイスラム教世界の統一を具現していたオスマン・トルコ帝国消滅後の混沌の中で、イスラム世界の苦難はイスラムの不在に起因しているとして、「イスラム復興」が唱えられた。エジプトのムスリム同胞団の源流となる原理主義思想であり、これがアラビズムの凋落とともに頭をもたげて、「アラブの春」の際にエジプトでムスリム同胞団が政権に就いたのが一つの頂点であった。

ちなみに、イスラムがアラビア語で「神への絶対服従」を意味する一神教であり、自分たちの唯一絶対神以外は認めないで排除する宗教である以上、厳しい戒律に回帰して妥協を排する原理主義としての傾向を持つことは免れ得ない。当然のことながらこれはイスラム教の専売特許ではなく、キリスト教でもユダヤ教でも一緒である。この意味で、原理主義は異端ではなく、一神教の特質からくる「鬼子《おにご》」のようなものである。違いはユダヤ教の場合は民族宗教なのでそれが外部に照射されず、キリスト教は少なくとも欧州においては休火山だという点である（ただし、あくまでも休火山であり死火山ではない）。カトリック教会が進める他宗教との共存というイニシアティブは歓迎すべきではあるが、本来の一神教の論理からはでてこないはずである。

したがって原理的な教義は間欠泉のように時々噴出する。一八世紀にムハンマド・イブン・アブドゥル・ワッハーブがワッハーブ派を始めた。ナジド地方を根拠とするサウード家はこれと連合を組み、政治はサウード家、宗教はワッハーブ派と役割分担した政治・宗教連合体を形成し、一七四四年頃から一九世紀末までに、第一次及び第二次王国を建てた。その後、いったん衰微したが、二〇世紀に入り再興して、紅海沿岸を支配していたハーシム家を抑えて現代サウジアラビアを一九二五年に建国し、アブドゥルアジーズ・イブン・

サウードが初代国王となっているが、このときもこの政教分担は継承されている（現在の国号になったのは一九三二年）。

サウジアラビア一国のものであったワッハーブ派が世界史の表舞台に登場してくるのは一九七九年のイラン革命を機とする。イラン革命は宗教革命であり、イランの政治の中心には国王に代わってシーア派の宗教指導者が座ることになった。ちなみにイスラム教はもともと初代指導者のムハンマドの時代から祭政一致であり、四代目アリーを暗殺したウマイヤが離れたダマスカスにウマイヤ朝を始めた後、アリーを信奉する人たちはシーア派（ペルシャ語でアリーの息子の意味）を形成した。

そのアリーの血筋のイマーム（ペルシャ語の指導者の意）が一二代にわたり統治していたが、八九四年に一二代目イマームが行方不明になってから（お隠れイマーム）、「最後の審判」の時にイマームが再登場するまで、地上で最も優秀な宗教指導者がイマームの代理人を務めることになっており、ホメイニ師もハメネイ師もその宗教指導者として選出されている。この体制は、イラン・イスラム共和国の憲法にちゃんと規定されている。

一九七九年初頭、イランに宗教指導者を中心とする体制が登場し、その年の一一月、イスラム教第一の聖地メッカでは、武装グループによって「聖にして聖なるハラーム・モスク」が占拠される事件が起きた。鎮圧まで一週間を擁し、外国の支援も得たと言われている。それはメッカとメディーナの聖なるモスクの保護者を自認し、それを自分たちの権威の裏付けとしてきたサウード家を震撼させる出来事であった。

また同年、シーア派の多いサウジアラビア東部州で大規模な暴動が起きた。この動揺を鎮めるため、サウジアラビアは、ソ連によるアフガニスタンへの侵攻に抗するという理由で自国の過激主義者を資金援助付きで送り出した。そのように態《てい》のいい送り出しをされた一人が、アルカイダ創始者のオサマ・ビン・ラディンだった。

一方で、サウジアラビアがオイルマネーでの富を背景にイスラム教国を支援した際には、マドラサ（宗教学校）が建設されワッハービズムが拡散している。たとえば、アフガニスタン戦争の前線国家であり、かつサウジアラビアにとって頼りになる軍事力を有するパキスタンや、一九九〇年代に旧ソ連解体でイスラム教が復活した中央アジア諸国などでそのような拡散が起こった。結局、これはサウジアラビアの体制にブーメランのようにはね返ってきて、九・一一以後、サウジ政府はテロリストの徹底的な摘発に転じている。

その後勃興してきたISという現象も、過激な原理主義を更に極端に推し進めたものであるという意味で、送り出されたオサマ・ビン・ラディンなどの過激主義者の流れの延長線上にある。

†民主主義とイラクの分裂

イラク戦争(二〇〇三年)時に、「アメリカは日本とドイツを民主化した。イラクもそうできる」というような、日独の戦後復興にイラク復興を重ねあわせた議論が米政府高官によってなされたのを憶えている。何と法螺《ほらふ》吹きなと思ったが、まだイラク戦争も起こっていない段階だったので反証できるわけではなかった。

その後サダム・フセイン体制は倒され、民主主義が導入された。宗教ではなくイラク国民としての政治運動を掲げた勢力もあったが、結局民衆は、宗教(及びクルド民族の場合は民族)への帰属心に基づく投票行動をとった。多数派であるシーア派が権力を奪取し、同じシーア派のイランがそれに大きく入り込んだ。

中東には、「マーフィーの法則」が当てはまる。「アラブの春」と銘打たれた改革の嵐も、ムスリム同胞団政権の混乱の後に軍が権力を取り戻したが昔日の勢威を復することができないエジプト、内戦の行きつく先にある凄惨さを見せつけたシリア、戦いが戦いを呼ぶイエメン、無秩序状態が長く続くリビアなど、大混迷の状況をもたらしただけであり、わずかにチュニジアのみが幾分か肯定的なストーリーとなった。その間、イラクの宗派対立は激化して民主主義は無責任と汚職の構造と化し、トルコでさえエルドアン体制下でNATO諸国からの追放論が出るほど国の方向性が揺れている。

そして、ペルシャ湾（アラビア湾）を挟むサウジアラビアとイランの間の対立は、ペルシャ民族対アラブ民族の対立であり、宗派対立である。もともと地力に劣るサウジアラビアはあまり表に出ず、イラクやエジプトを盾にしてきたが、現在のイラクは緩衝には使えずエジプトの地域の盟主としての威信も回復していないため、イランの圧力を直接受けざるを得ない立場にある。

そして、サウジアラビアは「二大聖地の守護者」としての威信を盾にしているが、イランはシーア派の盟主として一時は革命の輸出も試みんとしていた。サウジアラビア経済の心臓部である巨大油田のある同国東部は、イラク南部と同様シーア派住民が多数を占めているため、サウジアラビアとしてはイランの介入を強く警戒している。

これに加え、「アラブの春」以降、イランが「攻勢防御」を実践し、シリア、イラク、レバノンで地歩を固めているだけでなく、イエメンにも触手を伸ばしてきていることに、サウジアラビアとしては相当の危機感を持っている。このスンニ派とシーア派の反感については、私が若い頃に、サウジアラビアで勤務していた時に付き合っていた若きサウジアラビア人の高級官僚が、開明的な人物に見えたのにもかかわらず、接宴の席でイランの話になった時に、「あいつらシーア派の連中は、キリスト教徒よりも筋悪《すじわる》だ」と言ったのが今でも記憶に残っている。

2 存在感を増すイスラエル

†米国の中東からの退出

イラクに思慮足らざる戦争を仕掛けて現在の中東の混乱の種を蒔いた米国であるが、中東の曲りなりの安定の要だったのも事実である。その米国が中東から退出しつつある。イランとの対決も経済による締めつけはするものの本格的で大規模な軍事衝突をする気はないだろう。これには、米国の中東での無力感、挫折感、米国民の内向き志向がある。シリア内戦当初にエドワード・ルトワック氏が「ウェストファリア戦争と同じで、互いに殺し合うのに疲弊するまで放っておけ」との論評を書いたが、今では米国の専門家の多くが力なくうなだれてこれに同意するだろう。

これに加え、シェール革命により米国がエネルギー自立を達成しつつあるという環境の目に見える変化も与《くみ》している。もちろん、世界の石油市場は一衣帯水《いちいたいすい》につながっており、中東で動乱が起これば米国市民が購入するガソリンの値段にはね返り、市民の懐を直撃するので、米国が中東から無傷で退出できるというのは幻想だが、その理屈は迂遠《うえん》で米国民には響かない。

オバマ前大統領もトランプ大統領も、「中東という泥沼にはもう深入りしない」ということでは意見が一致しているようだし、米国の戦略コミュニティは、本当に遅ればせながらではあるが、中国の影響力拡大への本格的な対処の必要性に気付いたようである。

これは、米国の軍事力に国の安全を頼ってきたサウジアラビアにとって懸念すべき状況である。折りしも、二〇一九年九月に同国の虎の子とでもいうべき東部の巨大油田の施設が爆撃されたとき、(誰が犯人かは確定できていないが) サウジアラビアは全く何も処置を取れなかったし、米国も形ばかりの兵員の増員しかしなかった。

このような状況でぐるりと周りを見渡してみれば、対イランということでは利益がほぼ完全に一致し、サウジアラビアの必要とするミサイル防衛などの軍事的技術や対イラン諜報を多く持つイスラエルに目が行く。イスラエルの軍事力も無尽蔵のものではないが、イランとの短期的な決戦能力では彼我の差は圧倒的である。イランをめぐり利害が一致してくる中でイスラエル側の識者の「イスラエルが相手方を必要とする以上に、相手方がイスラエルを必要としている」という洞察は当たっているのだろう。

「イスラエルがサウジアラビアを防衛する時代」というのは言い過ぎだろうと、誰もが思う。しかしネタニヤフ首相が（イスラエル経済にとっても非常に重要な）紅海のシーレーンの防衛ならばできると公に発言しているのは興味深い。

このように考えると、「超大国としての米国なき後の中東世界」においては、イスラエルは地域内秩序を安定させる一つの勢力となるという指摘もあながち外れているわけでもないのかもしれない。「中東では多くのことが机の下で行われている」というが、サウジアラビアやアラブ首長国連邦（UAE）とイスラエルの間での情報機関同士の接触の噂も絶えない。

アブダビの空港や街中に備え付けられている監視カメラ網はイスラエル企業によるものである。イスラエルの有名なサイバー企業がサウジと取引しているという報道も出ている。サウジアラビアのムハンマド・ビン・サルマン皇太子は、ニューヨークタイムズ紙のイン

在イスラエル米国大使館開館式典でマイクを握るイヴァンカ・トランプ米大統領補佐官（写真提供：米国大使館、2018年５月14日）

タビューでイスラエルの生存権について認める発言をしているが、それが特大ニュースとはもうならない土壌がある。

イランという戦略的課題の前に、アラブ対イスラエルという問題は風化している。

✝米国の福音派との戦術的パートナーシップ

長らく国際社会の日陰者だったイスラエルだが、近年は、その国の規模に比し並外れた存在感を国際社会で示しており、その認知は拡大している。

二〇一八年五月の米大使館のエルサレムへの移転式典は、米国とイスラエルの戦略的関係のみならず、「心の関係」を見せつけるものだった。式典は「マツリゴト」であるが、デビッド・フリードマン大使の司会の下で、式典の始めには米テキサス州ダラス市のメガチャーチの牧師が、途中で米国内超正統派ラビが祈りを捧げ、最後は米テキサス州サンアントニオ市から来た福音主義テレビチャンネル主宰者による祈禱《きとう》で締めくくられた。

この光景には、同盟という「理性の結論」に礎《いしづえ》を置く日米関係とは異次元の世界であるとの強烈な印象を受けた。イスラエルは当然のことながら、米国のユダヤ系社会から強力な支持を受けているが、それに加えて現在、福音派《ふくいんは》（エバンジェリカルズ）という強力な応援団を得ている。福音派はトランプ大統領の強力な支持基盤である。米国及びトランプ政権との近さゆえに、米国との橋渡しを求め、たとえば二〇一九年にネタニヤフ首相の訪問を受け入れた故カブース国王のオマーンのように、イスラエルに接近する国も出てくる。

福音派は、「神とアブラハムの契約が今も生きておりキリストもその盟約の中にいる。したがって、キリストの出現によって盟約が結び直されたわけではない」という「ジュデオ＝クリスチャン」と呼ばれる概念を持つ人たちである。

彼らにとっては、やがて来る救済者が登場する前提として、ユダヤ人の国の存在がある。それゆえにイスラエルを強く支持しており、ネタニヤフ政権とは非常に近い。ただしこの教義は、「最後の審判」の日に良きユダヤ人はキリスト者に改宗し、そうでないユダヤ人は焼き尽くされるというものであり、ユダヤ人及びイスラエルにとっては受け入れられないものであるが、少なくとも「最後の審判」の日までは便宜上かつ戦術上のパートナーとなる。

イスラエル議会では超党派の「クリスチャン・コーカス」が結成され、福音派が中心になって結成されている世界三九カ国のイスラエル同盟コーカスと連帯しているという。ちなみにマイク・ペンス米国副大統領は下院議員時代（二〇〇一～一三年）に下院イスラエル同盟コーカスの共同議長を務めていたことがある。

同クリスチャン・コーカスの関係者によれば、福音派は、イスラエル建国時の六〇〇〇万人から現在世界で六億人まで膨張しており、アジア、アフリカ、中南米で伸びが著しく、世界三大メガチャーチは韓国、フィリピン、ナイジェリアにある。

エルサレムの米大使館開設記念式典で米国から招待された福音派の牧師２名（左右）とユダヤ教のラビ（中央）（写真提供：米国大使館、2018年５月14日）

韓国の人口の約四分の一、中国だけで一億人、アフリカにおいてはキリスト教徒の二人に一人、ブラジルでは約三五％が福音派であると同関係者は言う。中南米においてカトリックは急激に福音派に侵食されており、中米だけでなく、ブラジル、ペルー、ボリビア、パラグアイでも伸長し、ブラジルでは福音派が将来的に過半数となってもおかしくないという。

†イスラエルのアウトリーチ

イスラエルは敵対的なアラブ諸国に囲まれて孤立していただけに、それを突破しようともがくように色々な国との関係を築いてきた。アメリカや欧州、豪州などはよく知られているが、最近ではポーランド、ハンガリー、チェコ、スロバキアのいわゆるV4（ヴィシェグラード四カ国）、北欧バルト三国、あるいはキプロスやギリシャとの関係を強化し、首脳会談なども定期化させているが、後二カ国とのガス共同開発も経済的紐帯《ちゅうたい》を強めている。

現在EUの中では、国家主義的傾向を強める東欧側を警戒して、EU本流の独仏やブリュッセルからこれを戒める声が上がっている。イスラエルから見れば、イスラエルの政策をことさら批判しているEU本流やアイルランド、北欧などをけん制し、EU内で統一した政策を取れなくする狙いがあり、ネタニヤフ首相は、これらの東欧諸国や北欧諸国訪問前に空港でのぶら下がり記者会見を開き、その目的を公言している。実際その目論見《もくろみ》は一部成功しており、米国の大使館移転計画への非難決議が上程《じょうてい》された時にチェコ、ハンガリー、ルーマニアがそれをブロックしている。

なお、ニューヨーク・タイムズ紙の分析記事によれば、東欧諸国にとってイスラエルのネタニヤフ首相は、トランプ政権への橋渡しをしてくれる存在であり、またイノベーション協力や先進軍事技術などの経済的・軍事的利益を提供してくれる有用な国である。またさらに、ユダヤ民族という民族性を柱に国を運営している「模範的な」国民国家であり、彼らが目指す一つの方向性を具現している畏敬の対象として見えているという。

アジアではシンガポールの独立以来その国造りを助け、全般的に緊密な関係を結んでいる。草創期のシンガポール軍のために、イスラエル軍が使うはずだったバラックまで持っていったとの話がある。面白いことに、シンガポールはそれほど深い関係をイスラエルと持っているのに、国交はない。シンガポールのチャンギ空港からイスラエルのベン゠グリオン空港への直行便はないのである。これもインドネシアやマレーシアを隣国に持つシンガポールらしいバランス外交の結果といえる。

またインドとの関係も深い。一九九九年のカルギル紛争で弾薬が足りなくなったインド軍の緊急支援要請を受けて弾薬供給をして以来、インドはイスラエルからの武器輸出の上得意先になっている。

イスラエルは建国以来の困難な時代に、アフリカ諸国に接近して、公式、非公式の関係を築いてきており、最近は農業技術やサイバー技術などをテーマに協力関係を増大させている。驚くべきことに、この小国は二〇一七年一〇月には、アフリカ諸国との首脳会談まで実現させようとしていたが、最終段階で南アフリカから横やりが入り頓挫した。南アフリカとの関係は、アパルトヘイト政権時代には緊密だったものの、近年になって段々冷え込んできている。

3 アラブ・ボイコット

†アラブ・ボイコットの形骸化

ここまで書いてくるとおわかりのとおり、イスラエルとビジネスをする企業をアラブ側がボイコットする、いわゆる「アラブ・ボイコット」は形骸化している。エジプトは、シナイ半島のテロ撲滅などのことで、イスラエルと緊密な協力関係を持っている。ヨルダンも紆余曲折はありつつもイスラエルとの深い関係をマネージしている。またアラブではないものの同じイスラム圏のトルコは、エルドアン大統領の反イスラエル発言にもかかわらず、イスタンブール〜テルアビブ間に一日一〇便も定期便を飛ばしており、トルコの企業もイスラエルに多く進出している。さらにイスラエルとアラブ諸国、特に湾岸諸国との間では、民間代表団が相互に訪問したり、スポーツの国際大会でイスラエルの文化・スポーツ大臣がアブダビを公式訪問したりしている。

このような中で、パレスチナとイスラエルの紛争の歴史の中で形成されてきた「アラブ・ボイコット」は形骸化が進んでおり、今では、日本企業にとっては対イラン・ビジネスの方が敏感な案件となっているだろう。実際にサウジアラビア政府がイランと取引をしているドイツ企業を制裁するなどの実例が出てきている。

†「BDS（ボイコット・投資撤退・制裁）運動」

他方で「BDS（ボイコット・投資撤退・制裁）運動」はかなり議論を呼んでいる。もともとは、西岸に入り込むユダヤ人入植者が生産するワインなどの製品を買わないようにしようという欧米の草の根から出てきた運動で、その背景には、西岸への入植を進めて将来の和平の芽を摘んでしまおうとするイスラエル政府の政策への不信感がある。

ＥＵでは、イスラエルからの輸入品に、西岸で生産されたものかどうかを明示させるという指令が出されている。一方では、ＢＤＳ運動がその範囲を超えて、イスラエル製品全般への不買運動になっているのではないか、さらに運動そのものが反ユダヤ主義の表出ではないかとのかなり強烈な反駁《はんばく》がされており、米国政治にもインパクトを与えている。

私がイスラエルにいた時は、ホテル宿泊シェアの世界最大手ＡｉｒＢｎＢ《エアビーアンドビー》社が、西岸地区在住イスラエル人をサイトに登録できないようにするとの発表を行ったが、これに対してイスラエルでは入植者やその支援者から大きな反発が起き、またこれが米国内にも飛び火して、ペンス米副大統領が批判の声明を出すなど騒ぎが大きくなり、結局、同社は現地調査をしたうえで、同発表を撤回したようである。

第六章
日本の役割

ジェリコ農産加工団地建設への日本の支援に感謝して、団地前の通りは「日本通り」と命名された（撮影・提供：在ラマッラ出張駐在官事務所〔対パレスチナ日本政府代表事務所〕）

1　日本と中東和平

†評価されている日本のパレスチナ支援

日本は、一九七三年の石油ショック以来中東への関与を強めてきた。特に一九九〇年代以来の中東和平プロセスの活性化の中で、様々な支援を行ってきた。二〇回を超えたイスラエル・パレスチナ青年共同での短期訪日招聘プログラムもその一つである。

彼《か》の地ではなかなか大手を振って会うこともできないグループが、最初はぎこちない挨拶から始まるものの、一行の訪日プログラムが進むにつれて日に日に率直かつ温かい雰囲気に包まれるという。それなりの人をしっかり選んで招待しているので、卒業生も各界で活躍している。

その後、二〇〇一年の第二次インティファーダによりパレスチナ情勢が困難を極める中、当時の小泉純一郎総理大臣の中東訪問時に打ち出したのが、「平和と繁栄の回廊」構想である。その旗艦《きかんてき》的プログラムであるジェリコ農産加工団地（JAIP＝JERICHO Agricultural

Industrial Park）は、ヨルダン川に近い世界最古の町ジェリコの郊外にあり、一〇年前には荒れ地だったところに、今は立派な施設が建設されている。

第一期は六〇社程度のテナント収容能力があり、現在、化粧品、サプリ、飲料類、デーツなどの食品類の一〇社ほどが操業し、それ以外に二〇社ほど契約が成立しているという。これを第二期、第三期と続けていくとともに、分野をＩＴに広げていくことも構想されている。

JAIPで生産された石鹸

さらに、西岸地区の物流の拠点とすべく、すぐ近くのアレンビー橋を通じてヨルダンと輸出入するための道路づくりも、パレスチナ、イスラエル、ヨルダン、日本の四者の閣僚レベルで合意されている。一〇年経ってここまで来るのはものすごい努力の賜物である。交渉は総論賛成でも各論で遅々と進まずというところで本当に骨の折れる仕事である。

日本の対パレスチナ支援は、各国の対パレスチナ支援の中でも最も進んでいるものであり、すべての関係国及び関係者から高く評価されている。ＪＡＩＰには各国からの視察団が

ジェリコ農産加工団地（JAIP）を訪問した安倍首相（2018年5月）

続々と訪れるが、彼らも事業の困難さを知っているだけに一様に感嘆して帰る。パレスチナ側からの評価も高く、JAIPの前の通りは、二〇一八年の安倍総理訪問を機に「日本通り」と名付けられた。隠れたアジェンダがなく、我慢強くかつ息長く支援を行っていることが日本の強みになっている。

なお、二〇一七年一二月に河野《こうの》太郎外務大臣（当時）がJAIPを訪れた際、情報通信技術分野での協力を打ち出している。この分野でパレスチナはイスラエルから数段遅れたところにあるが、ここでも、パレスチナとイスラエルの間での協力関係は、あまり目立っていないものの脈々と繋がっている。ユダヤ系イスラエル人の間で平和と協力、共存を信じる人たちは少なくないし、アラブ系イスラエル人の間でもパレスチナと繋がろうとして、ビジネスの世界でも努力している人たちが当然いる。ついでに言えば、アラブ系イスラエル人で政府、軍、警察の高官になっている人たちもいる。遠く日本から見ると単純な対立構造だけのように見えるかもしれないが、現実はより複雑な糸が織り混ざっており、そのような中で、日本政府は現場で地道に支援しようとしている。

日本の姿勢とパレスチナへの期待

日本には、中東和平について「二国家解決」を支持し、エルサレムを首都と認めて大使館を移転することはせず、入植による現状変更に反対し、併合を認めないという確固たるポジションがある。このような日本の中東和平に対する基本的な考え方・対応は、国際的正義に適っており、今後とも維持していくべきだと考える。

他方で、中東和平の前途は明るくない。これは双方に起因する問題であり、また問題は複雑である。現段階では、パレスチナの中の深刻な分裂が最大の問題となっている。現在のようにガザ地区と西岸地区、パレスチナ自治政府とハマスが分裂している状態は、イスラエル側にとって和平への努力をしなくてもよい状態を作り出している。また孤立している東エルサレムの住民は放置されている。

敢えて率直に言えば、パレスチナ側の国づくりへの真剣さはもう少し高いレベルであってよいと思う。一九世紀以来のユダヤ人入植者が辛酸をなめながら自分たちで国をつくり上げてきたことに比べれば、パレスチナには莫大な国際援助が入ってきているはずだが、それがよくないのか、利権と世間体が優先され、国づくりの根が強く深く張っていないという感が否めない。

もちろん、イスラエルの占領行政下での屈辱と悲惨については、私の数少ないながらの直接のかつ極めて不愉快な体験からも、深く同情する。ただそれでもラマッラというパレスチナ自治政府が所在する町へ向かう道の路傍にうずたかく積み上げられる廃車の山などのゴミを見ると残念で心が痛む。街の美化には関心がないのだろうかと思うし、国づくりへのド根性が今一つ感じられない。これを見せてほしいと切に願っている。

†イスラエル側の事情

イスラエル側でも若い世代は現状に比較的満足して保守的になっているという。壁もでき、パレスチナからの労働者の流入も制限してきたので、最も地中海に近いところでは海岸線から十数キロも行けば西岸地区なのにもかかわらず、ずいぶん遠い外国になってしまっている。そして中年以上の人たちは、二〇〇〇年代の第二次インティファーダの際に、公共バスなどでテロが頻発し、イスラエル市民の死亡者が最高で一カ月一五〇人を超えたことも覚えているし、二〇〇五年のガザ地区からの一方的撤退を経ても平穏が到来しない状況を見て幻滅している。

しかしそれでも、もしパレスチナ民族内部でエネルギーが充填され、それが一つの方向に向けて放射する時、イスラエル側もそれを受けざるを得ないと思うが、今はそのような状況には見えない。

2 イスラエルと米国及び中国との関係

難はあるものの底流は変わらない米・イスラエル関係

米・イスラエル関係は、ハリー・トルーマン大統領によるイスラエル建国支持という初期の決断にもかかわらず、一九六七年の第三次中東戦争の頃までは冷めていた。一九五〇年代、米国務省は、アラブ諸国との関係の方が大事だからイスラエルとはほどほどの付き合いしかしないというポリシーだったという。その時代のイスラエルへの主要武器輸出国

1967年の第三次中東戦争の結果、嘆きの壁に到達したイスラエル軍の若い兵士たち

はフランスであった（それもドゴール大統領が一九六〇年代半ばに禁輸を宣言して武器輸入の道が閉ざされている）。

第三次中東戦争は転換点だった。ニューヨーク・タイムズ紙のコラムニスト、トーマス・フリードマン記者の若かりし頃の著作 *From Beirut to Jerusalem* には、幼少期の一ユダヤ系アメリカ人として、ダビデのように小さなイスラエルがゴリアテのようなアラブ諸国を打ち負かし、イスラエル軍がエルサレムを占領して嘆きの壁に入っていく時の感動が劇的に描かれている。

イスラエルを助けるべしという米国世論の強い追い風があり、ユダヤ団体の活動や冷戦構造もあり、超党派によるイスラエルへの支持がしっかりと固まっていく。ニクソン政権にはユダヤ系のヘンリー・キッシンジャー安全保障担当大統領補佐官が登場し、第四次中東戦争でのイスラエルの危機にも支援物資を送り続ける。

私がニューヨークのコロンビア大学で勉強した一九九〇年代前半、ニューヨークはもちろんユダヤ系がとても多いところなので親イスラエル一色だった。ルームメートのユダヤ系の兄ちゃんのロング・アイランドにある実家に遊びに行ったら、贖罪の日でコミュニティの人たちが集まっていた記憶がある。ただ彼は全くの世俗派で、豪邸の庭には桟橋が繋がり、大きなレジャーボートが停泊していた。

シカゴ大学のジョン・ミアシャイマー教授は *The Islael Lobby and U.S. Foreign Policy* という本でユダヤ団体の影響力を描いているが、結論はそのロビー力により米国政策がゆがめられているというもので、この本のために彼のような超有名教授でも様々なところでボイコットやバッシングに遭った。ただし、ユダヤ団体のロビー力にもかかわらず、オバマ大統領はイランと核合意を結んでいるし、イスラエルに対しては厳しかったということもある。

†トランプ大統領とユダヤ系米国人

これは必ずしも日本では理解されていないが、トランプ大統領に対しては、ユダヤ系団体は厳しい見方をしているところが多い。米国内のユダヤ人の七～八割が民主党支持といわれるが、それが故に、米国内での共和党と民主党の激しい対立の中で、トランプ政権や福音派との関係を深め、ユダヤ系団体と必ずしもしっくりした関係でないネタニヤフ首相のやり方に、将来イスラエルに対する米国の超党派の支持が崩れてしまうのではないかと懸念する声がイスラエル内にもある。米民主党につながるイスラエル人によれば、あるシナゴーグではT文字（トランプ大統領）が禁句だというが、それも想像に難くない。

このようにリベラルなユダヤ系米国人は概して、"Reform and Conservative Judaism"を信じている。これは、西欧の啓蒙主義思想の中でのユダヤ教の刷新運動であり"Reform"とは「改革」のことであり、"Conservative"とは"Reform"の急進性に反発した少し保守的な運動ということだが、総称してこのように呼ばれている。

たとえば、男女がシナゴーグで一緒に座るということは"Reform and Conservative Judaism"では実践されており、これを信奉するユダヤ系米国人の感覚から見れば当然のことだが、イスラエルの宗教界を牛耳《ぎゅうじ》る超正統派では認められていない。この価値観の衝突が最も先鋭に出てきて大問題になっているのは、嘆きの壁に男女共同の礼拝所を創設するかという問題である。これはネタニヤフ首相が、ユダヤ系米国人などの強い要請を受け、いったんは創設を約束していながら、帰国後に連立相手の政党及びその背後にいる宗教界から猛反発を受けて前言を翻して撤回したものだから、今に至るまで大きなしこりとなっている。

男女の礼拝場所が隔てられている「嘆きの壁」

"Reform and Conservative Judaism" の立場からすると、嘆きの壁はイスラエル在住のユダヤ人だけでなく全てのユダヤ人に開かれるべきであり、それぞれの宗派の慣習が尊重されなければならないということで、嘆きの壁の現場でも衝突が時々起きている。他方、イスラエルの宗教界は自分たちの立場を譲らないし、保守的な政治家からすれば、「ユダヤ系米国人は、ユダヤ人のくせにこのシオンの地に帰還してこないで、遠い地でソファに寝そべってポップコーンを食べながらイスラエルのことを批評している。その間に我々は子供を軍隊に送ってこの土地を守っているんだ」という気概と反発がある。

†イスラエルに寄付するユダヤ人

そのようなイスラエルにいるユダヤ人の反発に対し、各国にいるユダヤ系には、心の中で良心の呵責《かしやく》を感じている人もいるし、また、そうでなくてもイスラエルに対して貢献したいと考えている人たちはたくさんいる。全てのユダヤ人にとって、聖書に劇的に描かれているシオンの丘（エルサレム旧市街から南西部にある）に帰るというのは集団的な悲願であるし、いつ何時《なんどき》迫害されるかもしれないという深層意識があるユダヤ人にとって、イスラエルという究極の避難地が存在し続けることの価値は無限大である。

イスラエルの国歌「ハティクバ」は、二〇〇〇年間育みつづけた希望とは、「我々の地シオンとエルサレムで自由の民となることである」と歌っている（ちなみに、パレスチナの「国歌」には、「生命と解放、歓喜と希望、それがあなた〔祖国〕の空にある　私は目にできるだろうか」とある）。

日露戦争の時にニューヨークに来た高橋是清《たかはしこれきよ》から話を聞いて日本の戦時国債を購入し、

日露戦争後の一九〇六年に明治天皇から直々に勲一等旭日大綬章《くんいっとうきょくじつだいじゅしょう》を授けられたニューヨークの銀行家ジェイコブ・ヘンリー・シフも、多分そのような思いでだろうか、一九二四年に設立されたテクニオン大学（イスラエルの東工大にあたる）に大口の寄付をしている。

イスラエルで走っている救急車の一台一台をよく見ると、寄付者の名前が書いてあると言われる。海外からの厖大な寄付は、イスラエルが豊かになるまでは、大きな資金流入ルートでありイスラエルの国づくりに不可欠な貢献をしてきた。現在でもテルアビブでスタートアップを支援するスタートアップ・セントラルというNGOは五階建ての「自社ビル」を所有して職員七〇名を有しているが、これも米国のファンド関係者の寄付によるという。

さらに、エルサレムの旧市街から東にあるオリーブ山の麓《ふもと》には、たくさんのユダヤ人の墓地がある。どうにかして手に入れたのだろうこの土地に埋葬されると、神が再臨した時に一番最初に天国に行けるといわれている。

†米国の建国物語と重なるイスラエルの物語

ユダヤ系ロビーの力が米国の外交政策を捻じ曲げているという主張が大げさだという批

判については、実際にはオバマ政権がユダヤ系ロビーの強硬な反対にもかかわらず、イランと核合意を結んだりしたことが反証であると主張する向きがある。

ウォルター・ラッセル・ミード教授に言わせれば、米の親イスラエル感情の背景に、ロビーやユダヤ人社会の影響があるというのは皮相的な味方で、一九世紀末にシオニズム運動が始まる前から既にアメリカにはユダヤ人国家の建設に対しての一般の支持があった。米国人にはもともと「新しいエルサレムをアメリカの地に建てる」と自負するアメリカ人自身の建国精神の旋律が流れているという。

その観点から見れば、ユダヤ民族が逆境にもかかわらずパレスチナの地で歯を食いしばって努力して「開拓」していく姿は、アメリカ人自身のそれを彷彿させるものであったし、彼らが読む聖書の世界を再興する高貴な努力であったとも言える。また一九世紀のナショナリズムの時代に、ギリシャ、ローマといった古い文明を持つ民族が独立を果たし、ユダヤ民族の独立にも好意的な視線が寄せられていた。

†中国の進出により問題となったインフラ投資

余剰資本を抱え、設備投資の回収のため中国企業が対外的にインフラを輸出し、対外投資を盛んにするようになったのは対イスラエルでも同様である。このうち、インフラ輸出については、人口増加で社会インフラが入用のこの国の港湾、鉄道、道路などのプロジェクトの多くを、中国が受注している。

建設現場の労働者不足に悩むイスラエル政府は、中国と政府間協定を結び二万人の中国人労働者を期間限定で受け入れている。ハイファ新港の管理権を二五年もの間上海の港湾会社が請け負った件は大きな騒ぎとなった。米海軍第六艦隊及びイスラエル海軍が対岸のハイファ港を使っているので、その動静が筒抜けになるのではないかという観点から多くの批判があった。シアトルなどでも港湾を中国企業が管理している例もあり、米国からの批判は牽強付会《けんきょうふかい》にも見える。ただし認可プロセスの中で、そのような観点からの検討が全く行われなかったこと、イスラエル人があまり得意そうでない合議や調整が十分でなかったことは垣間見える。

†王岐山国家副主席の訪問

中国企業によるハイテク分野への投資はより問題含みである。投資の統計把握の難しさはあるが、ハイテクの対内投資のうち約二割が中国からの投資との按配だという。特筆すべきは、二〇一八年一〇月の王岐山《おうきざん》国家副主席の来訪で、名目は第四回革新協力合同委員会への中国側トップとしての出席（イスラエル側は、外相を兼ねるネタニヤフ首相）だったが、当然のことながらイスラエル側からはネタニヤフ首相以下総出での大歓迎を受けた。

このような中国からの高官訪問は、二〇〇〇年に江沢民《こうたくみん》国家主席が来訪して以来じつに一八年ぶりであった。これだけの間来訪がなかったのは、過去にイスラエルが中国に対して早期警戒機の売却契約を結んだのにもかかわらず、米国との間で大問題となりキャンセルした「事件」があったからである。その時、中国側は怒りを見せずにイスラエル側関係者を夕食会に招待したが、その食卓には、ユダヤ教では禁忌《きんき》とされる豚肉やエビやカニなどの甲殻類が並んでいたという逸話も聞いたことがある。

この訪問をきっかけに、イスラエル国内では、中国とイスラエルの関係については多くの論調が出た。大方は中国との貿易投資関係は進めるべし、米中の平和を望むというものだった。それに対し、それでも経済関係の推進には限界があり国家安全保障上のことをよく考えていく必要があるだろうというものもあった。

†米国によるイスラエルへの懸念表明

しかし、これが米国にも報告されたのであろうか、二〇一九年になってから急に米国がイスラエルに対して物言いをするようになった。折も折、二〇一八年一〇月にマイク・ペンス副大統領が激しい中国批判演説をして、米中技術冷戦、デカップリングというような議論がされていた時である。

二〇一九年一月にイスラエルを訪問したジョン・ボルトン米大統領補佐官（当時）は、インフラ及びハイテクの側面について取り上げ、イスラエルに対して不快感を表明した。また、三月にマイク・ポンペオ国務長官が来訪した際に、同国務長官はイスラエルのメディアによるインタビューに対し、イスラエルが中国の投資についてしっかり規制しないのなら、イスラエルとのインテリジェンス協力を縮小せざるを得なくなるかもしれない旨を発言している。

さらに同月のネタニヤフ首相のワシントン訪問では、トランプ大統領からも具体的に言及があったと報じられた。ふだんは傲岸不遜で「誰をか我の上に置かん」という勢いのイスラエル人が、この米国の強硬姿勢に対して朝夜を問わず泡を食ったように慌てていた。その様子は、米イスラエル関係の実相を理解するためには興味深かった。

その後の米中対立の激化の中で、イスラエルは上手く間をすり抜けられないのではないかという悲観論が高まっている。ファンド関係者に聞くと、中国からの投資は、数年前には狂ったように入ってきたが、二年前に中国政府が資本流出防止及び「犯罪者」の高飛び阻止のために対外投資を規制するようになってからは、ハイテク分野など戦略的分野を除いては少なくなり、さらに米中対立の激化により、ハイテク分野でも中国企業との関係保持のリスクが強く意識されて急激に減ってきているとの話だった。

また、最近来日したイスラエル有識者も、企業関係者がリスクを感じて中国に行かなくなっていると言っていた。これらはあくまで断片的な情報に過ぎず、依然として中国企業とイスラエル企業の協力については種々報道があるものの、ワシントンの空気はテルアビブにも伝わっていたようである。

†技術強国イスラエルの選択

イスラエルは間違いなく米国の同盟国であり、中国側からしても戦略的に取り込もうとする相手ではない。ただ日本に対するのと同様に、たとえ米国の同盟国であっても距離を詰めておきたいということかと思う。インフラ輸出については、中国側も個別の企業の戦略で進出してきており、たまたまイスラエルで手頃な案件があったのだろう。しかし、技術の問題は深刻である。というのも、現在の米中対立の根源には、これからの社会を変える「技術」をどちらが取るかという争いがある。さらにイスラエルはかなりの「技術強国」であり、その帰趨《きすう》に影響を与える存在だからである。

それでも、イスラエルにとっては米国との関係が死活的に重要で、かつ知的所有権を国の財産とするこの国のことなので、機を見るに敏で最後は踏み外さないだろう。安全保障・インテリジェンスに敏感で、機微《きび》な個人データを保有するたとえば保険会社などの買収はこれまでは起こっていない。

しかし、その対応は、総じて短期的、願望的である。また、既存の軍民両用技術ならともかく、今まさに生起しつつある技術にどのような用途があり得るのかを全て予測して規制することは実際に難しい側面もある。武器輸出と違い、また汎用の軍民両用技術と違い、イスラエル政府の対応が後手に回っていてもおかしくない。それはどの国にとっても難しい問題である。

私はイスラエル人の親しい友人に、「イスラエルは技術の面で大国である。大国には大国の責任がある。米国に言われなくても、少数民族としての離散の苦渋の二〇〇〇年の経験から、未来の国際社会がマイノリティにとってどのようなものであることが一番生き延びやすいのか、胸に手を当てて考えてみたら自明ではないか」と言ってみたことがあるが、彼はポカンとしていた。

自分たちの行動が大勢に影響を与えない小国モデルに生き、生き残りに必死でそのためには何でもするというテーゼで生きてきた彼らからすれば、そんな風には考えたこともなかったのだろう。しかしイスラエルは、人間で言えばもう立派な大人なのである。

3 日本とイスラエルの二国間協力

†政治・安全保障の新機軸

二〇一八年五月の安倍総理大臣イスラエル訪問時の新機軸として、日本はイスラエルと経済関係のみならず、政治・安全保障関係も進めていくことにした。二〇一八年秋には第一回外務・防衛当局間（PM）協議が実施され、二〇一九年夏には防衛省とイスラエル国防省の間に了解覚書も締結されている。

日本は、イスラエルとは一定の政策的な違いがあるが、その政策の違いを違いとしつつ、日本の国益を勘案して二国間関係を発展させていくべきである。

たとえば防衛協力について、二〇一八年一二月の防衛大綱で前面に打ち出された宇宙・サイバー・電磁波という新しいドメインへの対応について、イスラエルには一日ではすまない長がある。またイスラエルは、数的劣勢、小国としての資源の限界、緊張激化へのリードタイムの短さと対応空間の狭小さなど、様々なハンディを実際的に克服するのに多大な工夫を凝らしてきたのであり、隣国との物量の彼我の差がますます問題となっていくだろう日本の防衛にとってのヒントも詰まっていよう。

更には抑止力などについての考え方、独立国としての同盟への態度、あるいは「イプシャ・ミスタブラ」(反論チーム)によるセカンド・オピニオン提出という形で、反論を組織的に吸収する仕組みなど、実際に厳しい戦略環境を乗り越えてきた国なりの智慧は防衛のみならず、より広く活用できる可能性がある。

ちなみに、シュエフタン教授に最新の防衛大綱を読ませたことがあるが、反応は二つで、一つは、抑止力とは相手を脅かせる能力であり、打撃力がより強調されるべきというもので、今一つは、国の防衛を支えるのは単に戦略や政策ではなく、国の防衛のために戦う文化だというものだった。

†深掘りすべき科学技術協力

時としてアクセルのみならずブレーキも踏まなければならない外務省と違い、経済産業省は、他省庁に先駆けてイスラエルとの協力に本格的に取り組み強力に推進してきた。実際ビジネス関係は大いに進展してきたと思う。これをベースに協力関係を、科学技術協力・大学間交流を始めとしてより多岐の分野に広げていくことは日本の国益にかなうと思う。

そこでベンチマークとして中国の例を見れば、王岐山国家副主席の威光は高く、イスラエル来訪時には一三の省庁から大臣級を連れてきた。王岐山副主席だけリムジンで、大臣級は皆バスに乗せて日程をこなしたとのことだが、各省とも、全力でいい協力案件を出してきたようで、イスラエル側にとっても非常に満足度が高い会議だったとのことである。日本の場合、各省庁で関心のばらつきがあるのだが、イスラエルという国を考えれば、やはり科学技術分野での総合的な協力が望まれるところだ。

その意味で、二〇一九年五月に岸輝雄《きしてるお》外務大臣科学技術顧問がイスラエルを来訪したのがよい契機となったことを期待する。訪問を通じて、①日本と個人的なつながりでアドホックに協力関係がいる方がいても、組織的・継続的なものになっている例は少ないこと、

②日本の科学技術予算が縮小方向で新しいイニシアティブが通りにくいこと、③イスラエルでは資金が色々なところから流入して潤沢にあるため、日本の予算は金額が少なく縛りが多く魅力に欠けること、などの問題点が指摘された。

他方で、5GやAIの時代が到来し、日本の科学技術予算も少しギアが上がったようである。また、ヘブライ大学脳科学研究所を訪問した時には、京都大学から留学中の博士研究員の学生が同席し、受け答えも非常に立派であった。このような若者間の交流は政策的な刺激があればもっともっと進むのではないかとの印象を持った。

イスラエルはあまりにも遠く、そして危険なイメージが強いので、まず学術経験者、若者にイスラエルに来てもらい（あるいは日本に行ってもらい）、実地で見て、そして関係をつないでいくことができれば、そこからは大きな可能性が広がっている。まずは導火線に火をつけてみることが肝要だと思う。

†端緒がついたばかりの大学間交流

科学技術分野に限らず、日本とイスラエルの大学間の交流も未だ端緒がついたばかりである。従来、イスラエルの大学との交流については、軍事忌避や、リベラルな大学では親アラブの傾向があり、日本はあまり積極的でなかったと思う。ここでも若者の中で将来のキャリアを考え、イスラエルへ来ることを視野に入れている人がいる。

個別には、東京大学とヘブライ大学の包括的協力関係と、東大先端研とテルアビブ大学モーシェ・ダヤン・センターとの協力関係、あるいは早稲田大学による大学生起業家のイスラエル訪問などいくつか動きは出てきている。ハイファのテクニオン大学でも少しずつ企業や大学との協力関係は進んでいる。

また、日本でも地方大学も含むいくつかの大学から関心を示されているし、イスラエル側からは、テルアビブ大学で日本語研修も含めた留学生の日本での受け入れの可能性について関心が示されている。

日本人学生数減少の中で、日本語研修の受け入れは、日本の大学を活性化すると思う。彼らは「人と違うことをやる」人たちである。イスラエル人の若者が地方に行けば、そしてもし彼らを上手く使うことができれば、日本の地方振興などにも役に立つのではないかと私は考えている。このような流れを一つ一つ大きくしていくことが重要と考える。

†若者は嗅覚を研ぎ澄ます

世代間での認識ギャップは相当のものであり、中高年にはイスラエル＝紛争という一種の先入観が固定的にある。それと違い、若者にはそのような先入観は少なく、柔軟で未来を見据えていると思う。たとえば、前述の京大から留学中の博士研究員は、受け答えの良さも印象的だったが、聞くに京大よりも学際的な研究が容易であり、極めて満足度は高いという。また、知り合いの若手弁護士は、イスラエルと日本をつなぐ先駆者とならんと、イスラエルで外国法に係る業務を扱える資格取得を目指している。

今は日本も文科省を含め、国際バカロレアやら留学やらを大いに推進している。もしイスラエルで勉強することがためになるのなら――多分他の国と比較しても遜色ないか優れていると思う――イスラエルに来てもらったらよいと思う。

イスラエルにいた時に某超有名大学から二組の学生が教授に連れられてやってきた。イスラエルのスタートアップなどを訪問しながら先方の学生と交流するという趣きだったが、一組は大学院生にもかかわらずほとんど自分から話を切り出すことが出来ず、引率の先生に促されてやっとしゃべりだす様子でどうかなと思ったが、その一方で、もう一組は有名教授が学部にとらわれず猛者を連れてきました、ということで非常にしっかりしていて希望が持てた。イスラエルの学生が抱えるもの、歴史、軍役などを含め、非常に印象に残ったようだったが、短期でもそのような刺激を受けられればよいかと思う。

日本の起業家のサークルではイスラエルは注目の的だと聞いたことがある。大志ある人たちはイスラエルのことを頭のどこか片隅に置いている。学生でなくても、ワーキング・ホリデイでもよいので、イスラエルのことをリアルに体感した人たちの数を増やし、人と違うことを考え出し、失敗に挫《くじ》けずにそれを糧として挑戦し続けるという良い意味でのイスラエル精神に触れてもらうのがよいと思う。

†最も有名な日本人、杉原千畝

イスラエルにおいて日本のイメージは、先達のおかげで非常によく、尊敬の対象である。歴史的には、戦時中に外交官として「命のビザ」を発給した杉原千畝《すぎはらちうね》領事代理は別格である。

映画にもなり、今や日本の教科書にも載っている杉原千畝は、一九四〇年にリトアニアの総領事館に勤務していた時に、殺到するユダヤ人を前に懊悩《おうのう》し、その無私の良心に従って「命のビザ」を短期間で数千人のために発給し、ホロコーストの迫る危険から多数のユダヤ人を救ったことで、イスラエル及び全世界のユダヤ人の中で永遠に尊敬の対象となっている。

杉原は一九八五年に、日本人唯一の「諸国民の中の正義の人」としての顕彰を受けている。私は二〇一九年五月に、エルサレム郊外のベト・シェメシュの高校が杉原を顕彰する植樹式に大使館を代表して出席した。式典には全校生徒が出席しており、私も短いスピーチをしたが、式典後に何人もの人が寄ってきて、「私の両親はスギハラのビザで生き延びた。スギハラがいなければ、私はこの世に存在しなかったのです。本当にスギハラにありがとうと言いたい」と手を握って話してくれた。

ユダヤ人に最も敬愛される日本人・杉原千畝

他にも、満州のハルビン特務機関長だった樋口季《ひぐちき》一郎《いちろう》陸軍中将、安江《やすえ》仙弘《のりひろ》陸軍大佐、犬塚惟重《いぬづかこれしげ》海軍大佐などの軍人の名前が、ユダヤ人の窮状を救った人物としてよく言及される。片山和之《かたやまかずゆき》現外務省研修所長の著した『対中外交の蹉跌――上海と日本人外交官』でもこの三名について触れられており、ユダヤ難民の旧満州移住を計画したことも含め、日本がナチス・ドイツとは一線を画した対ユダヤ人政策を有していたことなどが紹介されている。ちなみに、戦前の南満州鉄道株式会社調査部は昭和一七年に『タルムード研究資料』を刊行している。

なお、戦前のユダヤ人で日本に関係した人物としては、先述の通り、日露戦争の時に日本の戦時国債を購入して明治天皇から直々に勲一等旭日大綬章を授けられたニューヨークの銀行家ジェイコブ・ヘンリー・シフや、一九二二年に来日したアルベルト・アインシュタイン（イスラエル建国後第二代大統領就任を要請されたが固辞している）などがいる。さらに、ヨセフ・トルンペルドールは日本で全く知られていないし、イスラエルでも日本と関係があったことはほとんど知られていないが、イスラエルでは小学生が教科書で必ず習うこの建国の英雄は、ロシア軍医として日露戦争に従軍して旅順《りよじゆん》要塞包囲戦で日本軍の砲弾により左腕を失い、降伏した二万八〇〇〇人の一人として捕虜になり大阪の高石の捕虜収容所で過ごした。

本来それほど信心深い人ではなかったらしいが、収容所内でユダヤ人が集団で生活することとユダヤ教の信仰を他宗教と平等に許されたことで、リーダー格となって活発に活動したらしい。そのことがユダヤ人としての覚醒の機会となったのか、ロシアに帰国後の一九一二年にはパレスチナに移住してシオニズム運動に尽力し、最後はアラブ義勇兵との戦いで倒れている。

†武道とアニメで日本を知る

日本の武道に励むイスラエルの人々

現在、(若い)イスラエル人が日本を知る経路としては武道とアニメが双璧であり、イスラエルでは人口に比して武道をやる人、そして習われている武道の種類が多い。大使公邸で武道関係者を一堂に集めた会を催したが、薙刀《なぎなた》から空手まで、様々な猛者が演武を披露して壮観だった。

また、BUDO FOR PEACEという団体は文字通り「武道を通じて平和を」という理念で、パレスチナ人とも武道を通じて交流を実施している。イスラエルにはこのような人たちもいるし、パレスチナ側にもそれに応えようとする人たちがいるのである。

そして、コスプレは爆発的人気である。AMAIという団体が春と夏におこなうコスプレイベントは、動員が数千人単位と半端ではなく、会場には自前のコスプレで扮装している人たちがあふれている。彼らの日本に対する好意とアニメに関する知識は尋常ではない。一度大使がいないときにイベントが行われたので、覚悟を決めてマリオの衣装を妻に作ってもらい登場したが、一五〇〇人を収容できようかという会場は、次に行われるコスプレコンテストを前に熱気でムンムンしており、熱烈な歓迎を受けた。

世界各地でこの種のイベントが行われているので、特別なことではないのかもしれないが、イスラエルのイベントは、コスプレが大好きなグループが自分たちで手作りで企画して会場を借り、地方からの参加者にも送迎バス・ツアーをアレンジするなど、相当のビジネス力をもって運営しているところが興味深かった。

†日本旅行の人気はうなぎのぼり

日本語履修者も増加中である。ビジネス目的というよりも日本に好感を持っているから勉強している人が多い印象であり、バブル時代のような浮わついた感じはしない。

また、日本を旅行した話はよく聞く。自分が行っていなくても親戚が行ったよという話を聞くことはさらに多い。かの有名なサイバー部隊の前隊長と話した時も、「実は、退役の際に家族が日本旅行をプレゼントしてくれて桜を見に行ったんだけれど、素晴らしかったのでまた家族みんなで来週から二週間日本に行くんだよ」と言っていた。

イスラエルは国が狭いため、海外旅行慣れしている。近隣諸国には行きにくいので、欧米に行くことが多いが、彼らはそれにも飽きてきている。軍役の後に一年間世界旅行をする際には、アジア旅行の定番は費用が安く済むインドや東南アジアらしいが、近年日本旅行の人気はうなぎのぼりである。

イスラエルから訪日する人は年間約四万人超であり、これは訪日観光客三〇〇〇万人時代においては大海の一滴かもしれないが、実はもしイスラエルがEU加盟国であれば絶対数で八番目か九番目の数であると聞く。日本への直行便開通が長い間懸案で、ソウル、北京、香港、モスクワ、イスタンブールなどでの乗り継ぎ便しかなかったが、二〇二〇年三月からイスラエルの航空会社エル・アルが週三便直行便を飛ばす予定なので、もっと増えていくだろう。

また、彼らは滞在期間が長い。そして、杉原千畝ゆかりの岐阜や福井などの「スギハラ・ルート」だけでなく、「人と違うことをやる」性格から、普通の観光客が行かないところにもどんどん行く。一人当たりの所得も高いから概して金払いもよく、また、「精神性のある」ところに行く傾向もある。イスラエルから一時帰国したときに機内で会った一八歳の少しあどけなさが残る男の子は、すぐ年上の姉と初めての訪日で個人旅行をするというう。どこにいくのかと聞いたところ「クマノコドウ（熊野古道）」という返事が返ってきて、少々びっくりした記憶がある。

終　章

イスラエルを通して振り返る日本

2018年にノーベル医学生理学賞を受賞した本庶佑・京都大学特別教授(©aflo)

1　イスラエルからの視点

†「ニホンジンは歴史と伝統へもう少し敬意を払ったらどうですか」

右に記した言葉は「日本はイスラエルから何を学べるか」という問いに対するシロニー教授の回答である。日本であればこのような発言には政治的な色がつきがちである。教授の著書は、日本をもしかしたら我々以上に知る碩学《せきがく》が、ユダヤの歴史と伝統への理解の道しるべを示し、それとの比較の中で、日本の歴史と伝統の再発見のヒントを多く述べているものである。たとえば、

ユダヤ人にはそのように違った宗教に同時にしたがうことはできなかった。しかしユダヤ教も、内部ではさまざまな学派や流派が常に盛んに行われてきた。（中略）旧約聖書中のソロモン王が書いたとされる三書には、日本の三大伝統宗教と驚くほど似たところがある。すなわち、「雅歌《がか》」には歓喜する魂、自然への愛、強いエロティシズムが見

られ、神道の世界観と呼応するものがある。また、「箴言《しんげん》」には実践的な金言、道徳的な禁止事項、智慧への賞賛が述べられていて、儒教の教えに通じるものがある。さらに「コヘレトの言葉」では実存主義的な悲観主義、現世の否定、知性への不信が語られていて、仏教の教えと類似が感じられるものである。（シロニー二〇〇四）

という記述がある。神道、儒教、仏教という日本の精神文化の要諦が簡潔かつ雄弁に語られていると思う。

「何ほどかのリアリティをもったミス（神話）が言語的動物としての人間集団にあって最も深い底層にある」と西部邁《にしべすすむ》は言う。神からの命を受けたアブラハムがメソポタミアから移住することに始まるユダヤ民族の歴史（神話）は、天孫降臨《てんそんこうりん》で始まる日本の歴史（神話）と類似し、合理的には割り切れない神話が、現代の国家の起源となっている。そこにイスラエル人は感応する。

エリ・コーヘン元駐日大使は、「多くの先進諸国は、「神話から生まれた国」ではないのです。二一世紀の今日まで神話がつながっている国が存在するとは、まさに神の加護がなくては、あり得ないことだと思うのです」と著書で述べている。

また、『万葉集 巻五』に収められている山上憶良《やまのうえのおくら》の長歌《ちょうか》は、

神代《かみよ》より言《い》ひ伝《つ》て来《く》らく
そらみつ　大和《やまと》の国は　皇神《すめかみ》の　厳《いつく》しき国
言霊《ことだま》の幸《さき》はふ国と　語り継《つ》ぎ　言ひ継がひけり……

と詠んでいる。

欧米とは違う日本を見る視線

神話を文化的背景として持つユダヤ人が日本を見る視座には、比較的若い人造国家で建国の経緯が克明に記されているアメリカや、神は「死」して近代合理主義がバックボーンとなっている欧州の人たちとは違うどこか新鮮なものがある。非合理的というか、何か説明できないものが人の生きる上での重要な一部であるという感覚から出てくるものであろうか。

コーヘン元大使自身はユダヤの祭司の家系で、二七〇〇年前のチュニジアに居住してい

たことまで遡れるとのことだが、(母系が一般的なユダヤ文化の中で) コーヘン家は営々と父系で血をつないできている。彼は、日本の天皇家の継承に関する議論について、「天皇家の男系男子による継承の伝統を守ることは、男女差別とは別次元のことです」と単刀直入に言う。

また、シュエフタン教授は訪日の際、二月の節分の季節に京都の神社を訪れた時、和服の女性が豆まきをしている姿に人々が歓声を上げている光景、伝統的な服を着ている人、豆まきという迷信的とさえいえる行為、人が群がってその経験を共有していることなどにいたく感銘を受けたという。同教授のイスラエル帰国後の第一声は、「日本文明は力強い。あの光景は素晴らしかった。人口減でこの素晴らしい文明を失っていいのか」というものだった。

2　調和と停滞

†自然に帰依し調和する多神教の伝統が遺った日本文明

「ユダヤ人は、日本から自然を愛するということを学んだ方がよい」とは、シロニー先生に先ほどとは逆向きの質問、つまり「ユダヤ人（イスラエル）が、日本から学ぶべき点は何か」と尋ねた時の答えである。たしかにイスラエル人には、「自然と共生し調和する」というような概念はない。自然はあくまでも管理する客体だという意識があるように思う。

これまで一五年海外で過ごし、直近では英国に三年、イスラエルに二年住んでみて思うのだが、これらの地では、日本に比べて自然災害のニュースが圧倒的に少ない。英国に住んでいたある年の八月下旬だったと記憶するが、その週は夏休みで英国では大したニュースもなく、BBCではのどかな緑の牧草地の夏の場面が中継されている一方で、NHKの衛星放送では、月曜日は台風、火曜日は河川氾濫、水曜日は地震、木曜日は火山噴火と、日本国内では自然災害が毎日トップニュースで大々的に報道されており、対照的だったのを覚えている。イスラエルでも自然災害のニュースはあまりない。地震もめったに起きないので、震度一、二でも地震があれば大騒ぎなくらいである。それに対して日本では、たとえば鴨長明《かものちょうめい》の『方丈記《ほうじょうき》』の記述なども災害のオンパレードであり、一一八五年の京都文《ぶん》治《じ》地震についても、

山はくづれて、河をうづみ、海はかたぶきて、陸地《ろくぢ》をひたせり。土裂けて水、湧きいで、いはほ割れて、谷にまろびいる。なぎさ漕《こ》ぐふねは浪にただよひ、道ゆく駒は足のたちどをまどはす。

と書かれている。

日本人は、自然の力の巨大さに繰り返し打ちひしがれ、それでも立ち上がるしかない民族として、自然を懼《おそ》れ、畏《かしこ》み、それに帰依《きえ》し、自然と調和するという観念が育つ環境にあった。聖徳太子の「和《わ》を以《も》って貴《とうと》しと為《な》す」という精神の背景にも、そのような自然との長い交流がある。

ただ、そのような自然への帰依《きえ》、周りのものを山から猿や蛇まで崇《あが》める傾向は、人間が

精神的傾向を持って以降の世界では一般的だったと思える。日本最古の神社とも言われる奈良県の大神《おおみわ》神社の御神体《ごしんたい》は三輪山そのものであり、白蛇は神の化身として崇められ、目撃したら幸せになるといわれている。

エジプトの古代宗教、ギリシャ神話、あるいはトルコ民族の創造神話なども多神教のそれである。古代エジプトに忽然と現れ、消えてしまった王イクナートンに痕跡を残し、しかし、ユダヤ民族が時間をかけて打ち立てた一神教の伝統は、キリスト教とイスラム教に至り、そこから民族性を取り除くことによって「普遍的」な宗教となった。さらに一五世紀末のいわゆるコロンブスのアメリカ大陸到達と、その後のスペイン帝国による凌辱《りょうじょく》と略奪により、「新」大陸にも決定的に根をおろし、かくして一神教が世界の多数派となった。結果として、日本の文明は、今や自然への帰依と調和を旨とする多神教的なものを遺してきた唯一の主要文明である。

†大陸から隔絶されたがゆえに続いた日本

日本のその特異な特徴の理由は地理的隔絶にあるかと思う。大陸に最も接近している地点の対馬《つしま》海峡でさえ福岡から釜山《プサン》まで約二〇〇キロメートルはあり、英仏を隔てる最短三四キロメートルのドーバー海峡に比べても圧倒的に広い。また、上海から福岡までの九〇〇キロメートル弱は、欧州で言えばパリ～ベルリンの距離である。そして、日本列島の東方は、ハワイまで何千キロもほとんど寄港するところもない。

その環境のゆえに伝統の継続が保たれてきた。八世紀初頭に編集された『古事記』や『日本書紀』によれば、神代の時代の神武《じんむ》天皇東征、初代天皇としての即位から天皇家は紆余曲折を経ながらも一二六代続いている。二〇二〇年は皇紀《こうき》で言えば二六八〇年とされている。

二三一番目となる「令和」という年号制度が未だ続いていることは、東アジアの他の諸国ではそうした制度が断絶してしまっていることを考えれば奇跡的である。それが実証的かどうかは別として、長い間続いてきたこと、国民に受容されていることが重要である。同様に、アブラハムが神の啓示を受けたと実証されるかどうかではなく、それを信じている社会集団が連綿と続いていることが稀有《けう》なのである（ユダヤ暦では二〇一九年九月三〇日に天地創造から五七八〇年を迎えた）。

そして、歴代の天皇陛下は自然を詠み、和歌の世界に時代を刻んできた。

わたつみの　豊旗雲《とよはたぐも》に入日さし　今夜《こよひ》の月夜《つくよ》あきらけくこそ（中大兄皇子＝天智天皇）
ここにても　雲居《くもい》の桜《さくら》さきにけり　ただかりそめの宿とおもふに（後醍醐天皇）
あさみどり　澄みわたりたる大空の　広《ひろ》きをおのが心ともがな（明治天皇）
津波来《こ》し　時の岸辺は如何なりしと　見下ろす海は青く静まる（平成天皇）

正倉院宝物が連綿と受け継がれてきたのも、この列島が海峡で護られていたがゆえであり、もし一三世紀にモンゴル帝国が奈良まで侵入していたら跡形もなくなっていたのだろう。継続が日本文明の一つの特徴になっているのである。ちなみに、塩野七生の『十字軍物語』には、モンゴル軍がバグダッド、ダマスカスを陥落させた後にエジプト征服を試み、それがパレスチナの地で止められたことが描写されている。

紀元前一三世紀には、古代エジプトのラムゼス二世がメソポタミアの雄ヒッタイトとカデシュ（現在のシリアのダマスカスから北東に行ったところ）で戦うために古代パレスチナの地を通っている。全長一六〇キロほどのスエズ運河が開削されるまで、アフリカとユーラシアを通る細い回廊だったこの地は、日本と違い、いつも戦乱に巻き込まれるところであった。

†日本は職人と達人の国

全ての事象には光と陰があり、日本が育んできた調和もともすれば停滞へとつながる可能性がある。社会は、新参者《しんざんもの》が和を乱すことによって、その刺激で動いていくものだが、その一方で調和は不協和音を好まない。

シロニー先生によれば、社会調和という儒教的理想、主君への忠誠、そして自己犠牲の武士道は、既成の基準への順応と服従を強調した。そのため日本人は、受け入れたものの概念や基準に異を唱えず、決まりに従ってどれだけ上手くやれるかという方向で努力した。その結果として、日本人の業績というのは典型的に「達人」のものである。たしかに、フィギュアスケートの羽生結弦《はにゅうゆづる》や野球のイチロー、他にも様々なピアニストやバイオリニストなどを見ていると、「職人」「達人」という言葉が浮かんでくる。

その一方で、二〇一八年のノーベル賞受賞者の本庶佑《ほんじょたすく》博士は、「教科書に書かれていることを信じるな。疑問を持ち、真実を求めなさい」という旨を発言されている。また、日本人初のノーベル賞受賞者の湯川秀樹《ゆかわひでき》博士の「大失敗をしたくないのなら、小さいミスをすることを恐れるな」という趣旨の発言は、同時代のアインシュタインの「何もミスをしたことのない人物は、何もトライしてみたことがないのと同義だ」という発言と志向を一にしている。

人類の発展のために画期的な貢献をした人物に贈られるノーベル賞について、日本人受賞者の数がアジアでは断トツであり、受賞頻度も高まっている。日本社会全体の価値は調和と、そして達人として極めることが重視されているが、それが創造性を完全に摘むことにはなっていない。

カール・マルクス

†カール・マルクスとスタートアップ

シロニー先生が、「日本人の業績は典型的に達人のものである。ユダヤ人の成功の頂点には天才がいたのである」とする背景に、ユダヤ人が歴史的な立場として、既成の「真理」に対して順応せず、むしろ挑戦的で、理論的に議論を尽くすという長い伝統がある。それにより、ユダヤ人は完成よりも創造性に力点を置いていたとする。

その例として、彼はカール・マルクスを挙げる。ラビを祖父に持ち、代々のタルムード学者の家系に生まれたマルクスの思想は、「それまでの哲学上の前提に果敢に挑戦し、人類の救済を実現するために新たな道筋を模索した大胆さは、ユダヤ伝統の反骨精神と、将来の救済を信じるユダヤ信仰に根差したもの」と称揚している。

さらにそのマルクスの延長線上に、現代のイスラエルのスタートアップがある。イスラエル人はオートメーション工場で同じ部品を同じ場所に装着することが苦手で、すぐに別のことを試してみたくなる人たちである。彼らの社会は不調和とバラガン（混沌）が支配している。

彼らは（アメリカ流の）拝金主義も身に着けているが、その一方で、反骨精神で新たな価値を創造し、そしてそれを社会善のために働かせようという道徳的な側面を残しているとも感じる。イスラエルでは企業が自社内にスペースを確保して外部に積極的に貸し出し、そこで「ミートアップ」という小さな集まりが行われている。そこでは、ビジネス情報の交換、啓発、人脈作り、エコシステム作りなどが行われているが、「なぜ私は失敗したか」という失敗談の共有する場でもある。

†停滞と硬直化から抜け出すのに苦しむ日本

近代日本の成功と失敗を見てみると、いったん秩序がセットされてしまうと、そこからの方向転換に四苦八苦する様子が見受けられる。欧米列強の植民地主義の脅威からスタートしたがゆえに軍国的にならざるを得なかった日本だが、明治憲法の欠陥たる統帥権《とうすいけん》の独立による政治権力の二元化をついぞ矯正することはできなかった。伊藤博文《いとうひろぶみ》のような元勲《げんくん》が存命中は人的権威によって調整ができたが、東条英機《とうじょうひでき》のような陸軍官僚の時代になると誰もその欠陥を修正できなくなってしまった。

その致命的な停滞により、近代日本の成果は灰燼《かいじん》に帰し、多数の犠牲者を出し、伝統への敬慕《けいぼ》を削ぎ、戦後長い間日本の外交・安全保障政策に制約を与えてきたのである。経済面では、デフレだった三〇年の間にも、日本企業はダイナミックな方向転換の必要性を理解しつつ、なかなか実行できなかった。他の社会と比べて日本の場合、調和から次の調和へのシフトには上手くいったとしても大変なエネルギーを要するという印象を持つ。

†混沌として見えるアメリカの歴史は断続的に変革、調和の日本の歴史は不連続に飛躍する

サミュエル・ハンティントンのアメリカ政治についての名著のタイトルは、『アメリカ政治――不調和という約束（*American Politics: The Promise of Disharmony*）』だった。米国の政治は混乱しているように見えるが、その混沌の中で断続的に方向転換が行われ、それがアメリカ民主主義の強みであるという趣旨だったと思う。確かに、一九八〇年代の「レーガン革命」のように、米国では「小革命」がいつも連続して起きているようなもので、それは今回のトランプ大統領の選出についても言えるかもしれない。

日本は小さな変革による断続的な調整が起きにくい。だが時折、飛躍が起こる。日本の歴史の中で、時代を画する大きな変革が起きたのは、時代を遡っていくと、「我々の近代の記憶」として第二次大戦後の変革、そして明治維新が挙げられる。

エドワード・ルトワック氏は、著書『日本四・〇』で、上記二つの変革に加えて、江戸幕藩体制の確立を日本の「一・〇」として挙げている。さらに遡れば、「武士の世」であることを明らかにして、鎌倉という辺鄙《へんぴ》な地から日本を支配した鎌倉幕府の成立があり、その前には、大陸の新文化の流入を原動力とした大化改新（六四五年）から『古事記』『日本書紀』の編纂（七一二、七二〇年）の時期がある。

†「生かされた自分たちの使命とは何か」

第二次大戦後に大きな変革が成就したのは、戦争及び敗戦のショックのゆえであり、戦場で、あるいは戦中や戦争直後の厳しい状況で人の死に直面した人たちが、厳しい生活を生きていく中で、「生かされた自分たちの使命とは何か」ということを集合的に考えていたからだと思う。特攻隊に入り、他の隊員が戦地に続々と赴き散る中で、なぜか自分は生かされた、裏千家大宗匠千玄室《せんげんしつ》は、戦後、「一碗からピースフルネス」を説き、茶道を世界に雄飛させた。憲法の大改正による統治機構の刷新、農地改革などが実現した他、ホンダ、ソニー、ユニチャーム、ヤマハ、ＹＫＫなどの数々の会社が世界に飛躍した。

また明治維新は、日本自体の存亡の危機を感じた若い中下級の武士たちが発動したものである（明治元年の時、「維新の三傑」は西郷隆盛《さいごうたかもり》四〇歳、大久保利通《おおくぼとしみち》が三八歳、木戸孝允《きどたかよし》三五歳）。藩を廃して藩主を領地から切り離すことにより棚上げし（廃藩置県）、身分制を撤廃して同じ教育を受けて、同じ釜の飯を食べる兵士として（四民平等、学制改革、国民皆兵）、最終的には憲法制定・議会開設まで実現するに至った。そして、外からの圧力を契機に始められた大変革の過程で、日本人はよき「達人」らしく、それを内面化して極めていった。

そこではお雇い外国人や外国からの様々な技術導入が重要な役割を果たしている。

3　イスラエルは日本の変革の触媒となり得る

†大きな変革のとき

「平成維新」という言葉が流行ったことがあった。政党まで作って活動した大前研一《おおまえけんいち》氏の最大の眼目は道州制の導入と地方自治権の強化によって、各道州のイニシアティブ発揮と競争を促進することで、経済・社会を活性化することだったと推察する。

中国のＧＤＰは彼の言う「九州道」と同じであった頃の話であり、金満で、かつ一億総中流の意識の時代に変革の必要性を唱えたことは、その後の日本経済の歩み、世界経済の変容を振り返ってみれば一つの慧眼だった。ただし、安穏としていられる冷戦終了直後の世界情勢、ピークにあった日本経済に鑑《かんが》みれば、日本社会が成功裡に大変革する状況ではなかったのかもしれない。

三〇年後の現在の状況は、それに比べて全てにおいて悪化している。北朝鮮が核を持ち、中国は大きな生産力・資金を持ち、軍備を大拡張している。かたや日本では高齢化と人口減が進み、財政赤字は甚だ悪化した。社会の貯蓄を切り崩す現象の一つと言われた「パラサイトシングル」という言葉も、子供が寄生する先の親世代が老いてきて、もう限界である。

日本のお家芸であった家電産業は衰徴し、日本経済の屋台骨たる自動車産業も、電子化・無人化・シェア化によって未来が非常に不透明である。そして世界では、電子コマースとデータ・サイエンスが物流及び情報の流通を支配している。一〇年前には企業価値ランキングの上位を占めていたエネルギー会社が消え去り、GAFAや中国企業が独占しているが、そこに日本企業の姿はなく、サイバーやAIの分野では、日本は他の国の後塵《こうじん》を拝している。

「一昨日の成功体験」「既得利益としがらみ」「平和ボケ」……。微温的で便利で居心地の良い日本社会だが、そうした「残り火」はやがて尽きるのであり、大きな変革の時が来ているかと思う。

†イスラエルという変革のための触媒

これまで述べてきたことを踏まえれば、イスラエルは日本の変革の触媒になれるのではないか。

まず、イスラエルは、気づきの鑑《かがみ》として有用である。家庭中心で出生率の高い社会のオプティミズム、歴史と伝統の価値、不屈で独創的な思考の重要性、イノベーション、市民社会を自分たちで守ることの健全性、安全保障のリアリズムなどの諸点について、イスラエルは、現代日本に有益な視座を与えてくれる。

社会集団（民族）の生存と継承の責任、自己と社会、家族と社会のあり方、そして人生における前向きな精神的態度などの大きな問題を、我々はもう一度考え直すべきだろうし、根本でそれがしっかりするならば、技術的な各論にはおのずから方向性が見出されるだろう。

イスラエルは、日本の協業のパートナーとなれる。（天才的な）独自の発想と技術、そこそこ真面目で信用できる性格とチャレンジ精神、軍を中心とするエコシステムの存在、米国及び欧州との表裏での深いつながり、国全体がシリコンバレー規模というコンパクトなサイズであること、内に入り込めば芋づる式で広がる人脈社会であることなど、日本側がそれなりの資源と焦点を持って臨めば成功は可能だと思う。

逆にイスラエルは、日本の製造力、完璧な仕事ぶり、大きな市場、アジアにおけるネットワーク、日本が米国の同盟国であるという安心を求めているので、日本との相互補完的なパートナーとなる潜在力を秘めている。イスラエル人が日本を尊敬し日本文化に親近感を持っていることも重要な点である。

そのような協力を今後展開していくにあたり、政府の役割は突破口を見つけ、あるいは円滑に進む環境を整えるべく方策を取っていくことである。防衛協力、科学技術分野での協力、日本とイスラエルの大学間協力についても潜在力がある。日本の防衛における状況の切迫性を考えれば、座して何もしない相手では最早《もはや》ない。イスラエルと組まないリスクというのも認識されるべきであろう。

イスラエルという国とその経験を、日本及び日本人のために生かしていけないか。一人一人が、偏見・先入観から解放されて虚心坦懐《きょしんたんかい》に考える価値はあると思う。特に若者への期待は大きい。自分の将来をピュアに考えて行動すべき若者が、イスラエルの将来性を買うのであれば、その直感はたぶん正しいだろう。そうする若者はどんどん増えるのではないかと思うし、それを期待したい。

あとがき

英国に勤務していた頃、たまたま元英国イラン大使から、英国外務省では大使は離任前の報告と並び、赴任後六〜八週間後に赴任国の第一印象を報告する習慣があると言われた。また、たまたま同じ週に『エコノミスト』誌の副編集長からも、ある国に特派員として赴任したら三カ月以内に本を書けと言われたものだと聞かされた。いずれも、長く滞在すると「慣れ」が生じて、ちょっとしたズレに気づかなくなり問題意識が薄くなるからという理由だった。

イスラエルは違和感だらけの国である。最初からそう感じたし、住んでいて「慣れる」部分は出てきても、違和感からくる問題意識は消えなかった。それを少し整理しておきたいと思って書き出してみたが、その違和感は大きかったらしく予想以上に長文となってしまった。そのうちに、拙文を読んでいただいた幾人かから、最近のイスラエルについては日本ではあまり知られていないので本にしてみたらどうかと声をかけられたので、加筆して世に供することにしたものである。

また日本では、ＡＩだ、イノベーションだ、起業だとの記事が連日出ているのにもかかわらず、イスラエルのことはあまり取り上げられておらず、ロケット攻撃など中東の紛争がらみの話だけが時々報道されている現状も気になった。

さらに言えば、日本の官民にイスラエル及びユダヤ人不信が見え隠れするのもどうかなと思った。要するに「金満で、ネットワークで世界を動かし、汚い連中で信用おけん」というような議論である。

確かに、イスラエルについて言えば、汚い手を使ってでも生き延びることを最優先することが必要であった側面はある。また、今でもイスラエルの評判を落とすような企業の活動も一部にはある。しかしその批判には、敢えて言えば欧米キリスト教世界の通奏低音として存在する反ユダヤ主義の単なる受け売りのような印象も受けた。そんなことも本書の執筆の動機になっている。

今回、なるべく曇りのないレンズで覗き込み、イスラエルを自分自身で観察したつもりである。その際の視座は、日本人にとってこの国がどのような意味をもち、何を学び得るのか、そしてどのように協力をしていけるのか否かというものであり、それ以上でも以下でもない。

内容について、断定的な結論を出すことはあまりしていない。私見とはいえ現役国家公務員であるゆえの当然の謙抑《けんよく》もある。また、たとえばユダヤ系米国人社会や、日本のビジネスの最新動向、パレスチナ人社会など通暁《つうぎよう》していないことも多いからである。

何よりも、この地域では、単純な正義やきれいに割り切れることがことのほか少ない。単線思考の善悪二元論や科学的合理主義に陥ることなく、中庸・平衡という東洋及びアリストテレスに共通の考え方によって、慎重に事象を判断していくのが知的に誠実ではないかと思った。

ご読了いただいた読者の方にとって、何か得るところがあれば私としてもありがたいことである。イスラエル的に無遠慮で直截的に申し上げれば、その勢いで、一度イスラエル(及びヨルダン西岸地区)を見ておかれることをお勧めしたい。百聞は一見に如かず、である。

執筆にあたり、筑摩書房ちくま新書編集部の松田健編集長及び山本拓さんから激励の言葉をいただいたことで、本書刊行までたどり着くことができた。最後に、国をまたいだ転勤が多く環境適応への苦労が一方ならぬ中、イスラエルを含め前向きな精神で一緒に来てくれた妻及び子供に大いに感謝したい。

二〇二〇年一月

大隅　洋

参考文献

モリス・アドラー『タルムードの世界』河合一充訳、ミルトス、一九九一年
市川裕『ユダヤ教の精神構造』東京大学出版会、二〇〇四年
市川裕編著『図説ユダヤ教の歴史』河出書房新社、二〇一五年
市川裕監修、ペン編集部編集『ペンブックス19 ユダヤとは何か。聖地エルサレムへ』CCCメディアハウス、二〇一二年
宇野精一編『平成新選百人一首』明成社、二〇〇二年
笈川博一『物語エルサレムの歴史――旧約聖書以前からパレスチナ和平まで』中公新書、二〇一〇年
大前研一『平成維新』講談社、一九八九年
片山和之『対中外交の蹉跌――上海と日本人外交官』日本僑報社、二〇一七年
鴨長明『方丈記』浅見和彦校訂・訳、ちくま学芸文庫、二〇一一年
北岡伸一『独立自尊――福沢諭吉と明治維新』ちくま学芸文庫、二〇一八年
エリ・コーヘン『元イスラエル大使が語る神国日本――神代から大東亜戦争、現代まで貫く「日本精神」とは』藤田

裕行訳、ハート出版、二〇一八年
在イスラエル日本国大使館『イスラエル経済月報』
佐竹昭広他校注『万葉集』岩波文庫、二〇一三年
佐藤一斎『言志四録』講談社学術文庫、一九七八年
塩野七生『十字軍物語』新潮社、二〇一〇年
ベン＝アミー・シロニー『ユダヤ人と日本人の不思議な関係』立木勝訳、成甲書房、二〇〇四年
ダン・セノール、シャウル・シンゲル『アップル、グーグル、マイクロソフトはなぜ、イスラエル企業を欲しがるのか？――イノベーションが次々に生まれる秘密』宮本喜一訳、ダイヤモンド社、二〇一二年
立山良司編著『イスラエルを知るための六二章〔第二版〕』明石書店、二〇一八年
出口治明『哲学と宗教全史』ダイヤモンド社、二〇一九年
エマニュエル・トッド『問題は英国ではない、EUなのだ――二一世紀の新・国家論』堀茂樹訳、文春新書、二〇一六年
西部邁『保守の真髄――老酔狂で語る文明の紊乱』講談社現代新書、二〇一七年
藤崎一郎「「大常識」で思う明治一五〇年」『日本戦略研究フォーラム季報』二〇一八年四月号、日本戦略研究フォーラム
イザヤ・ベンダサン『日本人とユダヤ人』角川文庫ソフィア、一九七一年
南満州鉄道調査部『タルムード研究資料』一九四二年

エドワード・ルトワック『日本四・〇——国家戦略の新しいリアル』奥山真司訳、文春新書、二〇一八年
エドワード・ルトワック『ルトワックの日本改造論』奥山真司訳、飛鳥新社、二〇一九年
Thomas L. Friedman, *From Beirut to Jerusalem*, Farrar Straus and Giroux, 1989.
Francis Fukuyama, *The Origins of Political Order: From Prehuman Times to the French Revolution*, Farrar Straus and Giroux, 2012.
Francis Fukuyama, *Political Order and Political Decay: From the Industrial Revolution to the Globalization of Democracy*, Farrar Straus and Giroux, 2014.
Samuel Huntington, *American Politics: the Promise of Disharmony*, Belknap Press, 1981.
Ivan Krastev, *Why Do Central European Nationalists Love Israel So Much?*, 18 Mar. 2019, New York Times.
Edward Lutwak, *In Syria, America Loses if Either Side Wins*, 24 Aug. 2013, New York Times.
Walter Russel Mead, *God and Gold: Britain, America, and the Making of the Modern World*, YouTube.
Walter Russel Mead, *The New Israel and the Old*, YouTube.
John Mearsheimer, Stephen Walt, *The Israel Lobby and U.S. Foreign Policy*, Farrar Straus and Giroux, 2007.
Yuri Slezkine, The *Jewish Century*, Princeton University Press, 2019.
HOLY BIBLE, Revised standard version, Pocket Text Edition, Oxford University Press.

ちくま新書
1484

日本人《にほんじん》のためのイスラエル入門《にゅうもん》

二〇二〇年三月一〇日　第一刷発行
二〇二四年九月一五日　第二刷発行

著者　大隅 洋（おおすみ・よう）

発行者　増田健史
発行所　株式会社 筑摩書房
東京都台東区蔵前二-五-三　郵便番号一一一-八七五五
電話番号〇三-五六八七-二六〇一（代表）
装幀者　間村俊一
印刷・製本　三松堂印刷 株式会社

ISBN978-4-480-07303-7 C0236

ちくま新書

900
日本人のためのアフリカ入門
白戸圭一
負のイメージで語られることの多いアフリカ。しかし、それらはどこまで本当か？　メディアの在り方を問い直しつつ「新しいアフリカ」を紹介する異色の入門書。

1428
アフリカを見る　アフリカから見る
白戸圭一
もはやアフリカは哀れみの目で「援助」する対象ではない。アフリカ諸国の過去と現在をどうとらえ、日本はどうかかわっていくべきか。篠田英朗氏との対談も収録。

1382
南スーダンに平和をつくる
——「オールジャパン」の国際貢献
紀谷昌彦
二〇一一年に独立した新興国南スーダン。その平和構築の現場では何が起こり必要とされているのか。前駐在大使が支援の最前線での経験と葛藤を伝える貴重な証言。

1438
日本を救う未来の農業
——イスラエルに学ぶICT農法
竹下正哲
ドリップ灌漑を行い、センサーを駆使してIoTクラウド農法で管理すれば、高齢化、跡継ぎ問題、そして、収益率や自給率など日本の農業問題は全てが解決する！

1026
ユダヤ人の教養
——グローバリズム教育の三千年
大澤武男
グローバルに活躍するユダヤ人。ノーベル賞受賞、世界企業の創業、医師や弁護士……。輝かしい業績を生む彼らの教養・教育への姿勢と実践を苦難の歴史に探る！

1272
入門　ユダヤ思想
合田正人
世界中に散りつつ一つの「民族」の名のもとに存続するユダヤ。居場所とアイデンティティを探求するその英知とは？　起源・異境・言語等、キーワードで核心に迫る。

1048
ユダヤ教　キリスト教　イスラーム
——一神教の連環を解く
菊地章太
一神教が生まれた時、世界は激変した！　「平等」「福祉」「不寛容」などを題材に三宗教のつながりを分析し、現代の底流にある一神教を読み解く宗教学の入門書。